Poésies complètes

Émile Nelligan

Poésies complètes
1896-1941

Nouvelle édition entièrement refondue d'après l'édition critique de 1991 préparée par Réjean Robidoux et Paul Wyczynski, professeurs à l'Université d'Ottawa

BIBLIOTHÈQUE QUÉBÉCOISE

Bibliothèque québécoise inc. est une société d'édition administrée conjointement par la Corporation des Éditions Fides, les Éditions Hurtubise HMH ltée et Leméac Éditeur.

Couverture: Émile Nelligan, à 19 ans.
(Photographie: Laprés & Lavigne, Montréal.)

Typographie: Dürer *et al.* (Montréal)

Données de catalogage avant publication (Canada)

Nelligan, Émile, 1879-1941

Poésies complètes

Éd. entièrement rev. et corr.

(Bibliothèque québécoise)
Comprend des réf. bibliogr. et un index.

ISBN 2-8940-6079-3

I. Titre. II. Collection: Bibliothèque québécoise (Fides)

PS8477.E4A17 1992 C841'.4 C92-097127-X
PS9477.E4A17 1992
PQ3919.N44A17 1992

DÉPÔT LÉGAL: QUATRIÈME TRIMESTRE 1992
BIBLIOTHÈQUE NATIONALE DU QUÉBEC

ISBN: 2-89406-079-3

Avant-propos

La présente édition reprend à l'état pur le produit essentiel de la grande édition critique des *Poésies complètes 1896-1941* d'Émile Nelligan, que nous avons publiée en 1991, au moment du cinquantenaire de la mort du poète. On trouvera donc ici strictement le texte établi, c'est-à-dire la résultante finale, le monument dépouillé comme il se doit de l'appareil d'échafaudages qu'impose toute entreprise de restauration. Il va sans dire que les lecteurs désireux de connaître les tenants et aboutissants de tout l'engagement sauront se reporter à l'édition critique elle-même.

R.R. et P.W.
août 1992

PREMIERS POÈMES

C'ÉTAIT L'AUTOMNE...
ET LES FEUILLES TOMBAIENT TOUJOURS

L'ANGÉLUS sonnait, et l'enfant sur sa couche de douleur souffrait d'atroces maux ; il avait à peine quinze ans, et les froids autans contribuaient beaucoup à empirer son mal.

Mais pourtant sa mère qui se lamentait au pied du lit, l'attristait encore plus profondément et augmentait en quelque sorte sa douleur.

Soudain, joignant ses mains pâles en une céleste supplication, et portant sur le crucifix noir de la chambre ses yeux presque éteints, il fit une humble et douce prière qui monta vers Dieu comme un parfum langoureux.

Et dehors, dans la nuit froide, les faibles coups de la cloche de la petite église voisine montaient tristement, elle semblait tinter d'avance le glas funèbre du jeune malade.

La chaumière, perdue au fond de la campagne, était ombragée par de hauts peupliers qui lui voilaient le lointain.

De belles montagnes bleues une à une se déroulaient là-bas, mais elles paraissaient maintenant plutôt noires, car les horizons s'assombrissaient de plus en plus.

Les oiseaux dans les bocages ne chantaient plus, et toutes ces jolies fauvettes qui avaient égayé le printemps et l'été s'étaient envolées vers des parages inconnus.

Les feuilles tombent et la brise d'automne gémit dans la ramure ; il fait sombre dehors ; mais ces tristesses de la nature, ces gémissements prolongés du vent, ne sont que les faibles échos de cette immense douleur qui veille au chevet du malade que Dieu redemande à la mère…

Onze heures sonnent à la vieille horloge de la chaumière ; l'enfant vient de faire un mouvement qui appelle encore plus près de lui celle qui lui a prodigué ses soins pendant tant de jours et pendant tant de nuits.

Elle approche, défaillante, et écoute attentivement les paroles que le mourant lui murmure faiblement à l'oreille :

« Mère,… dit-il, je m'en vais… mais je ne t'oublierai pas là… haut… où… j'espère… de te… retrouver un jour… ne pleure pas… approche encore une dernière fois le crucifix de mes lèvres… car je n'ai plus que quelques instants à vivre… adieu, mère chérie… tu sais la place où je m'asseyais l'été dernier… sous le grand chêne… eh bien ! c'est là… que je désire… qu'on… m'enterre… Mère adieu, prends courage… »

La mère ne pleure pas ; comme Marie au pied du calvaire elle embrasse sa croix,… souffre… et fait généreusement son sacrifice…

Cependant les feuilles tombent, tombent toujours ; le sol est jonché de ces présages à la fois tristes et lugubres ; dans la chaumière le silence est solennel, la lampe jette dans l'appartement mortuaire une lueur funèbre qui se projette sur la figure blanche du cadavre à peine froid, la vitre est toute mouillée des embruns de la nuit, et la brise plaintive continue à pleurer dans les clairières. La jeunesse hélas ! du jeune malade s'est évanouie comme la fleur des champs qui se meurt, faute de pluie, sous les ardents rayons d'un soleil lumineux.

Que la nature, les bois, les arbres, la vallée paraissaient tristes ce jour-là, car c'était l'automne... et les feuilles tombaient toujours.

Rêve fantasque

Les bruns chêneaux altiers traçaient dans le ciel triste,
D'un mouvement rythmique, un bien sombre contour ;
Les beaux ifs langoureux, et l'yprau qui s'attriste
Ombrageaient les verts nids d'amour.

Ici, jets d'eau moirés et fontaines bizarres ;
Des Cupidons d'argent, des plans taillés en cœur,
Et tout au fond du parc, entre deux longues barres,
Un cerf bronzé d'après Bonheur.

Des cygnes blancs et noirs, aux magnifiques cols,
Folâtrent bel et bien dans l'eau et sur la mousse ;
Tout près des nymphes d'or — là-haut la lune douce ! —
Vont les oiseaux en gentils vols.

Des sons lents et distincts, faibles dans les rallonges,
Harmonieusement résonnent dans l'air froid ;
L'opaline nuit marche, et d'alanguissants songes
Comme elle envahissent l'endroit.

Aux chants des violons, un écho se réveille ;
Là-bas, j'entends gémir une voix qui n'est plus ;
Mon âme, soudain triste à ce son qui l'éveille,
Se noie en un chagrin de plus.

Qu'il est doux de mourir quand notre âme s'afflige,
Quand nous pèse le temps tel un cuisant remords
— Que le désespoir ou qu'un noir penser l'exige —
Qu'il est doux de mourir alors !

Je me rappelle encor… par une nuit de mai,
Mélancoliquement tel que chantait le hâle;
Ainsi j'écoutais bruire au delà du remblai
    Le galop d'un noir Bucéphale.

Avec ces vagues bruits fantasquement charmeurs
Rentre dans le néant le rêve romanesque;
Et dans le parc imbu de soudaines fraîcheurs,
    Mais toujours aussi pittoresque,

Seuls, les chêneaux pâlis tracent dans le ciel triste,
D'un mouvement rythmique, un moins sombre contour;
Les ifs se balançant et l'yprau qui s'attriste
    Ombragent les verts nids d'amour.

Silvio Corelli pleure

Je ne suis qu'un être chétif:
Tout jeune, m'a laissé ma mère;
Je vais errant et maladif:
Je n'ai pas d'amis sur la terre.

Seul soutien et seul compagnon
— Gagne-pain de mes jours très drôle —
Je n'ai qu'un rude violon,
Pour gîte, l'ombrage d'un saule.

Grand comme les cieux est mon cœur;
Et bien que mon œil soit sans flamme,
Je lis dans la vie un bonheur
Comme lit le Christ dans notre âme.

Le soir, je veille au clair de lune
Jouant des airs tristes et vieux
Qui charment un oiseau nocturne
Ou consolent quelque amoureux.

Ainsi rêvant à l'avenir,
Je songe à mon printemps qui tombe;
Mon passé n'est qu'un souvenir,
Mais, hélas! il sera ma tombe.

Nuit d'été

Le violon, d'un chant très profond de tristesse,
Remplit la douce nuit, se mêle aux sons des cors,
Les sylphes vont pleurant comme une âme en détresse,
Et les cœurs des arbres ont des plaintes de morts.

Le souffle du Veillant anime chaque feuille ;
Aux amers souvenirs les bois ouvrent leur sein ;
Les oiseaux sont rêveurs ; et sous l'œil opalin
De la lune d'été ma Douleur se recueille...

Lentement, au concert que font sous la ramure
Les lutins endiablés comme ce Faust ancien,
Le luth dans tout mon cœur éveille en parnassien

La grande majesté de la nuit qui murmure
Dans les cieux alanguis un ramage lointain,
Prolongé jusqu'à l'aube, et mourant au Matin.

La Chanson de l'ouvrière

À Denys Lanctôt

Les heurs crèvent comme une bombe ;
À l'espoir notre jour qui tombe
Se mêle avec le confiant.

Pique aiguille ! assez piqué, piquant !
Les heurs crèvent comme une bombe.

Ici-bas tout geint, casse ou pleure ;
Rien de possible ne demeure
À ce qui demeurait avant.

Pique aiguille ! assez piqué, piquant !
Ici-bas tout geint, casse ou pleure.

Je suis lasse de cette vie,
Je veux dormir, ô bonne amie,
Laisse-moi reposer, assez !

Non, pique aiguille ! assez piquant, piqué !
Je suis lasse de cette vie.

Hâve par ma forte journée
Je blasphème ma destinée,
Feuille livide au mauvais vent ;
Un peu de sang sur mes doigts coule,
L'heure râle, pleure et s'écoule.
Ah ! mon pain me rend suffocant.

N'importe, pique aiguille ! piqué, piquant !
L'heure râle, pleure et s'écoule.

Pourquoi donc Dieu me rend-il malheureuse ?
Je suis très pauvre et je vis presque en gueuse.
Hélas ! la peine est un fardeau pesant.

N'importe, pique aiguille ! piqué, piquant !
Pourquoi donc Dieu me rend-il malheureuse ?

Tout dans l'abandon je le passe
Mon gagne-pain passe et repasse
Dans un seul même tournement.

N'importe, pique aiguille ! piqué, piquant !
Tout dans l'abandon je le passe.

NOCTURNE

À Denys Lanctôt

C'est l'heure solennelle et calme du silence,
L'Angélus a sonné notre prière à Dieu ;
Le cœur croyant sommeille en un repos immense,
Noyé dans les parfums languissants du Saint-Lieu.

C'est l'heure du pardon et de la pénitence,
C'est bien l'heure où l'on fait notre plus chaste aveu,
Où nos yeux ruisselants, pleurs de reconnaissance,
Retrouvent à la fin l'ardeur du premier feu.

Ô Soir si consolant pour mon cœur ravagé,
Soir de miséricorde au pécheur affligé
Qui demande à son Dieu la manne bienfaisante,

Pénètre de ton ombre une âme à la tourmente,
Recueillement subit du passé dans ton sein,
Pour qu'elle puisse avoir paix et joie au Matin.

Cœurs blasés

Leurs yeux se sont éteints dans la dernière Nuit ;
Ils ont voulu la vie, ils ont cherché le Rêve
Pour leurs cœurs blasphémants d'où l'espoir toujours fuit.
Ils n'ont jamais trouvé la vraie et bonne sève.

En vain ont-ils tué l'âme dans la débauche,
Il reste encore, effroi ! les tourments du Remords.
L'Ange blême se dresse et se place à leur gauche,
Leur déchire le cœur râlant jusqu'à la Mort.

Mélodie de Rubinstein

C'est comme l'écho d'un sacré concert
Qu'on entend soudain sans rien y comprendre;
Où l'âme se noie en hachich amer
Que fait la douleur impossible à rendre.

De ces flots très lents, cœurs ayant souffert
De musique épris comme un espoir tendre
Qui s'en va toujours, toujours en méandre
Dans le froid néant où dorment leurs nerfs.

Ils n'ont rien connu sinon un grand rêve,
Et la mélodie éveille sans trêve
Quelque sympathie au fond de leurs cœurs.

Ils ont souvenance, aux mélancoliques
Accords, qu'il manquait à leurs chants lyriques
La douce passion qui fait les bons heurs.

Charles Baudelaire

Maître, il est beau ton Vers; ciseleur sans pareil,
Tu nous charmes toujours par ta grâce nouvelle,
Parnassien enchanteur du pays du soleil,
Notre langue frémit sous ta lyre si belle.

Les Classiques sont morts; le voici le réveil;
Grand Régénérateur, sous ta pure et vaste aile
Toute une ère est groupée. En ton vers de vermeil
Nous buvons ce poison doux qui nous ensorcelle.

Verlaine, Mallarmé sur ta trace ont suivi.
Ô Maître tu n'es plus mais tu vas vivre encore,
Tu vivras dans un jour pleinement assouvi.

Du Passé, maintenant, ton siècle ouvre un chemin
Où renaîtront les fleurs, perles de ton déclin.
Voilà la Nuit finie à l'éveil de l'Aurore.

Béatrice

D'abord j'ai contemplé dans le berceau de chêne
Un bébé tapageur qui ne pouvait dormir;
Puis vint la grande fille aux yeux couleur d'ébène,
Une brune enfant pâle insensible au plaisir.

Son beau front est rêveur; et, quelque peu hautaine
Dans son costume blanc qui lui sied à ravir,
Elle est bonne et charmante, et sa douce âme est pleine
D'innocente candeur que rien ne peut tarir.

Chère enfant, laisse ainsi couler ton existence,
Espère, prie et crois, console la souffrance.
Que ces courts refrains soient tes plus belles chansons!

J'élève mon regard vers la voûte azurée
Où nagent les astres dans la nuit éthérée,
Plus pure te trouvant que leurs plus purs rayons.

Quelqu'un pleure dans le silence

Quelqu'un pleure dans le silence
Morne des nuits d'avril ;
Quelqu'un pleure la somnolence
Longue de son exil ;
Quelqu'un pleure sa douleur
Et c'est mon cœur !

Je sais là-bas une vierge rose

Je sais là-bas une vierge rose
    Fleur du Danube aux grands yeux doux
Ô si belle qu'un bouton de rose
    Dans la contrée en est jaloux.
Elle a fleuri par quelque soir pur,
    En une magique harmonie
Avec son grand ciel de pâle azur:
    C'est l'orgueil de la Roumanie.

MOTIFS POÉTIQUES

Le Jardin de l'Enfance

«Clavier D'Antan»

«Villa D'Enfance»

CLAVIER D'ANTAN

Clavier vibrant de remembrance,
J'évoque un peu des jours anciens,
Et l'Éden d'or de mon enfance

Se dresse avec les printemps siens,
Souriant de vierge espérance
Et de rêves musiciens...

Vous êtes morte tristement,
Ma muse des choses dorées,
Et c'est de vous qu'est mon tourment;

Et c'est pour vous que sont pleurées
Au luth âpre de votre amant
Tant de musiques éplorées.

Dans l'allée

Toi-même, éblouissant comme un soleil ancien
Les Regrets des solitudes roses,
Contemple le dégât du Parc magicien
Où s'effeuillent, au pas du Soir musicien,
Des morts de camélias, de roses.

Revisitons le Faune à la flûte fragile
Près des bassins au vaste soupir,
Et le banc où, le soir, comme un jeune Virgile,
Je venais célébrant sur mon théorbe agile
Ta prunelle au reflet de saphir.

La Nuit embrasse en paix morte les boulingrins,
Tissant nos douleurs aux ombres brunes,
Tissant tous nos ennuis, tissant tous nos chagrins,
Mon cœur, si peu quiet qu'on dirait que tu crains
Des fantômes d'anciennes lunes !

Foulons mystérieux la grande allée oblique ;
Là, peut-être à nos appels amis
Les Bonheurs dresseront leur front mélancolique,
Du tombeau de l'Enfance où pleure leur relique,
Au recul de nos ans endormis.

Le Regret des joujoux

Toujours je garde en moi la tristesse profonde
Qu'y grava l'amitié d'une adorable enfant,
Pour qui la mort sonna le fatal olifant,
Parce qu'elle était belle et gracieuse et blonde.

Or, depuis je me sens muré contre le monde,
Tel un prince du Nord que son Kremlin défend,
Et, navré du regret dont je suis étouffant,
L'Amour comme à sept ans ne verse plus son onde.

Où donc a fui le jour des joujoux enfantins,
Lorsque Lucile et moi nous jouions aux pantins
Et courions tous les deux dans nos robes fripées ?

La petite est montée au fond des cieux latents,
Et j'ai perdu l'orgueil d'habiller ses poupées…
Ah ! de franchir si tôt le portail des vingt ans !

La Sorella dell' amore

Mort, que fais-tu, dis-nous, de tous ces beaux trophées
De vierges que nos feux brûlent sur tes autels ?
Réponds, quand serons-nous pour jamais immortels
Aux lumineux séjours des célestes Riphées ?

J'eus vécu l'Idéal. Au paradis des Fées
Elle était !... Je ne sais, mais elle avait de tels
Yeux que j'y voyais poindre, aux soirs, de grands castels
Massifs d'orgueil parmi des parcs et des nymphées...

Ma chère, il est vesprée, allons par bois, viens-t'en,
Nous suivrons tous les deux le chemin brut et rude
Que tu sais adjoignant la chapelle d'Antan.

Ma voix t'appelle, ô sœur ! mais ta voix d'or m'élude,
Lucile est morte hier, et je sanglote, étant
Comme une cloche vaine en une solitude.

Devant mon berceau

Avec l'obsession d'un sanglot étouffant,
Combien ma souvenance eut d'amertume en elle,
Lorsque, remémorant la douceur maternelle,
Hier j'étais courbé sur ma couche d'enfant,

En la grand'chambre ancienne aux rideaux de guipure,
Où la moire est flétrie et le brocart fané,
Parmi le mobilier de deuil où je suis né
Et dont se scelle en moi l'ombre nacrée et pure...

Quand je n'étais qu'au seuil de ce monde mauvais,
Berceau, que n'as-tu fait pour moi tes draps funèbres ?
Ma vie est un blason sur des murs de ténèbres,
Et mes pas sont fautifs où maintenant je vais.

Ah ! que n'a-t-on tiré mon linceul de tes langes,
Et mon petit cercueil de ton bois frêle et blanc,
Alors que se penchait sur ma vie en tremblant
Ma mère souriante, avec l'essaim des anges

Ma mère

Quelquefois sur ma tête elle met ses mains pures,
Blanches, ainsi que des frissons blancs de guipures.

Elle me baise au front, me parle tendrement,
D'une voix au son d'or mélancoliquement.

Elle a les yeux couleur de ma vague chimère,
Ô toute poésie, ô toute extase, ô Mère !

À l'autel de ses pieds je l'honore en pleurant,
Je suis toujours petit pour elle, quoique grand.

Premier Remords

Au temps où je portais des habits de velours,
Éparses sur mon col roulaient mes boucles brunes.
J'avais de grands yeux purs comme le clair des lunes ;
Dès l'aube je partais, sac au dos, les pas lourds.

Mais en route aussitôt je tramais des détours,
Et, narguant les pions de mes jeunes rancunes,
Je montais à l'assaut des pommes et des prunes
Dans les vergers bordant les murailles des cours.

Étant ainsi resté loin des autres élèves,
Loin des bancs, tout un mois, à vivre au gré des rêves,
Un soir, à la maison, craintif, comme j'entrais,

Devant le crucifix où sa lèvre se colle
Ma mère était en pleurs !... Ô mes ardents regrets !
Depuis, je fus toujours le premier à l'école.

Devant deux portraits de ma mère

Ma mère, que je l'aime en ce portrait ancien,
Peint aux jours glorieux qu'elle était jeune fille,
Le front couleur de lys et le regard qui brille
Comme un éblouissant miroir vénitien !

Ma mère que voici n'est plus du tout la même ;
Les rides ont creusé le beau marbre frontal ;
Elle a perdu l'éclat du temps sentimental
Où son hymen chanta comme un rose poème.

Aujourd'hui je compare, et j'en suis triste aussi,
Ce front nimbé de joie et ce front de souci,
Soleil d'or, brouillard dense au couchant des années.

Mais, mystère du cœur qui ne peut s'éclairer !
Comment puis-je sourire à ces lèvres fanées !
Au portrait qui sourit, comment puis-je pleurer !

Le Talisman

Pour la lutte qui s'ouvre au seuil des mauvais jours,
Ma mère m'a fait don d'un petit portrait d'elle,
Un gage auquel je suis resté depuis fidèle
Et qu'à mon cou suspend un cordon de velours.

« Sur l'autel de ton cœur, puisque la Mort m'appelle,
Enfant, m'a-t-elle dit, je veillerai toujours.
Que ceci chasse au loin les funestes amours,
Comme un lampion d'or, gardien d'une chapelle. »

Ah ! sois tranquille en les ténèbres du cercueil !
Ce talisman sacré de ma jeunesse en deuil
Préservera ton fils des bras de la Luxure,

Tant j'aurais peur de voir un jour sur ton portrait
Couler de tes yeux doux les pleurs d'une blessure,
Mère !... et dont je mourrais, plein d'éternel regret.

Le Voyageur

À mon père

Las d'avoir visité mondes, continents, villes,
Et vu de tout pays, ciel, palais, monuments,
Le voyageur enfin revient vers les charmilles
Et les vallons rieurs qu'aimaient ses premiers ans.

Alors sur les vieux bancs au sein des soirs tranquilles,
Sous les chênes vieillis, quelques bons paysans,
Graves, fumant la pipe, auprès de leurs familles
Écoutaient les récits du docte aux cheveux blancs.

Le printemps refleurit. Le rossignol volage
Dans son palais rustique a de nouveau chanté,
Mais les bancs sont déserts car l'homme est en voyage.

On ne le revoit plus dans ses plaines natales.
Fantôme, il disparut dans la nuit, emporté
Par le souffle mortel des brises hivernales.

Le Berceau de la Muse

De mon berceau d'enfant j'ai fait l'autre berceau
Où ma Muse s'endort dans des trilles d'oiseau,
Ma Muse en robe blanche, ô ma toute Maîtresse !

Oyez nos baisers d'or aux grands soirs familiers...
Mais chut ! j'entends la mégère Détresse
À notre seuil faisant craquer ses noirs souliers !

Tristesse blanche

Et nos cœurs sont profonds et vides comme un gouffre,
Ma chère, allons-nous-en, tu souffres et je souffre.

Fuyons vers le castel de nos Idéals blancs,
Oui, fuyons la Matière aux yeux ensorcelants.

Aux plages de Thulé, vers l'île des Mensonges,
Sur la nef des vingt ans fuyons comme des songes.

Il est un pays d'or plein de lieds et d'oiseaux,
Nous dormirons tous deux aux frais lits des roseaux.

Nous nous reposerons des intimes désastres,
Dans des rythmes de flûte, à la valse des astres.

Fuyons vers le château de nos Idéals blancs,
Oh ! fuyons la Matière aux yeux ensorcelants.

Veux-tu mourir, dis-moi ? Tu souffres et je souffre,
Et nos cœurs sont profonds et vides comme un gouffre.

Sérénade triste

Comme des larmes d'or qui de mon cœur s'égouttent,
Feuilles de mes bonheurs, vous tombez toutes, toutes.

Vous tombez au jardin de rêve où je m'en vais,
Où je vais, les cheveux au vent des jours mauvais.

Vous tombez de l'intime arbre blanc, abattues
Çà et là, n'importe où, dans l'allée aux statues.

Couleur des jours anciens, de mes robes d'enfant,
Quand les grands vents d'automne ont sonné l'olifant.

Et vous tombez toujours, mêlant vos agonies,
Vous tombez, mariant, pâles, vos harmonies.

Vous avez chu dans l'aube au sillon des chemins,
Vous pleurez de mes yeux, vous tombez de mes mains.

Comme des larmes d'or qui de mon cœur s'égouttent,
Dans mes vingt ans déserts vous tombez toutes, toutes.

La Passante

Hier, j'ai vu passer, comme une ombre qu'on plaint,
En un grand parc obscur, une femme voilée:
Funèbre et singulière, elle s'en est allée,
Recélant sa fierté sous son masque opalin.

Et rien que d'un regard, par ce soir cristallin,
J'eus deviné bientôt sa douleur refoulée;
Puis elle disparut en quelque noire allée
Propice au deuil profond dont son cœur était plein.

Ma jeunesse est pareille à la pauvre passante:
Beaucoup la croiseront ici-bas dans la sente
Où la vie à la tombe âprement nous conduit;

Tous la verront passer, feuille sèche à la brise
Qui tourbillonne, tombe et se fane en la nuit;
Mais nul ne l'aimera, nul ne l'aura comprise.

La Fuite de l'Enfance

Par les jardins anciens foulant la paix des cistes,
Nous revenons errer, comme deux spectres tristes,
Au seuil immaculé de la Villa d'antan.

Gagnons les bords fanés du Passé. Dans les râles
De sa joie il expire. Et vois comme pourtant
Il se dresse sublime en ses robes spectrales.

Ici sondons nos cœurs pavés de désespoirs.
Sous les arbres cambrant leurs massifs torses noirs
Nous avons les Regrets pour mystérieux hôtes.

Et bien loin, par les soirs révolus et latents,
Suivons là-bas, devers les idéales côtes,
La fuite de l'Enfance au vaisseau des Vingt ans.

Le Jardin d'antan

Rien n'est plus doux aussi que de s'en revenir
Comme après de longs ans d'absence,
Que de s'en revenir
Par le chemin du souvenir
Fleuri de lys d'innocence
Au jardin de l'Enfance.

Au jardin clos, scellé, dans le jardin muet
D'où s'enfuirent les gaîtés franches,
Notre jardin muet,
Et la danse du menuet
Qu'autrefois menaient sous branches
Nos sœurs en robes blanches.

Aux soirs d'Avrils anciens, jetant des cris joyeux
Entremêlés de ritournelles,
Avec des lieds joyeux,
Elles passaient, la gloire aux yeux,
Sous le frisson des tonnelles,
Comme en les villanelles.

Cependant que venaient, du fond de la villa,
Des accords de guitare ancienne,
De la vieille villa,
Et qui faisaient deviner là,
Près d'une obscure persienne,
Quelque musicienne.

Mais rien n'est plus amer que de penser aussi
À tant de choses ruinées !

Ah ! de penser aussi,
Lorsque nous revenons ainsi
Par sentes de fleurs fanées,
À nos jeunes années.

Lorsque nous nous sentons névrosés et vieillis,
Froissés, maltraités et sans armes,
Moroses et vieillis,
Et que, surnageant aux oublis,
S'éternise avec ses charmes
Notre jeunesse en larmes !

Virgiliennes

Jardin sentimental

Là, nous nous attardions aux nocturnes tombées,
Cependant qu'alentour un vol de scarabées
Nous éblouissait d'or sous les lueurs plombées,

De grands chevaux de pourpre erraient, sanguinolents,
Par les célestes turfs, et je tenais, tremblants,
Tes doigts entre mes mains, comme un nid
[d'oiseaux blancs.

Or, tous deux, souriant à l'étoile du soir,
Nous sentions se lever des lumières d'espoir
En notre âme fermée ainsi qu'un donjon noir.

Le vieux perron croulant parmi l'effroi des lierres,
Nous parlait des autans qui chantaient dans les pierres
De la vieille demeure aux grilles familières.

Puis l'Angélus, devers les chapelles prochaines,
Tintait d'une voix grêle, et, sans rompre les chaînes,
Nous allions dans la Nuit qui priait, sous les chênes.

Foulant les touffes d'herbe où le cri-cri se perd,
Invincibles, au loin, dans un grand vaisseau vert,
Nous rêvions de monter aux astres de Vesper.

Presque berger

Les Brises ont brui comme des litanies
Et la flûte s'exile en molles aphonies.

Les grands bœufs sont rentrés. Ils meuglent dans l'étable
Et la soupe qui fume a réjoui la table.

Fais ta prière, ô Pan ! Allons au lit, mioche,
Que les bras travailleurs se calment de la pioche.

Le clair de lune ondoie aux horizons de soie :
Ô sommeil ! donnez-moi votre baiser de joie.

Tout est fermé. C'est nuit. Silence... Le chien jappe.
Je me couche. Pourtant le songe à mon cœur frappe.

Oui, c'est délicieux, cela, d'être ainsi libre
Et de vivre en berger presque. Un souvenir vibre

En moi... là-bas, au temps de l'enfance, ma vie
Coulait ainsi, loin des sentiers, blanche et ravie !

Petit Hameau

Or voici que verdoie un hameau sur les côtes
Plein de houx, orgueilleux de ses misères hautes.

Des bergers s'étonnant contemplent dans la plaine,
Et mon cheval qui sue à la hauteur se traîne.

Pour y vivre l'Octobre et ses paix pastorales
Je vous apporte, ô Pan, mes lyres vespérales.

Les bœufs sont vite entrés. Ils meuglent dans l'étable,
Et la soupe qui fume a réjoui ma table.

Que vous êtes heureux, hommes bons des campagnes,
Loin du faubourg qui pue et des clameurs de bagnes.

Je vous bénis. Que la joie habite à vos portes,
En campagne, ô ces soirs de primes feuilles mortes !

Château rural

J'eus ce rêve. Elle a vingt ans, je n'en ai pas moins ;
Nous habiterons ces chers coins
Qu'embaumeront ses soins.

Ce sera là tout près, oui, rien qu'au bas du val ;
Nous aurons triple carnaval :
Maison, coq et cheval.

Elle a les yeux de ciel, tout donc y sera bleu :
Pignon, châssis, seuil, porte, heu !
Dedans peut-être un peu.

Elle a les cheveux blonds, nous glanerons épis,
Soleils, printemps, beaux jours, foins, lys
Et l'amour sans dépits.

Sans doute, elle m'aura, m'ayant vu si peu gai
— Ne fût-ce que pour me narguer —
Un ange délégué !

Brusque je m'éveillai. Mon coq au jour qui gagne
Pleurait là-bas dans la campagne
Son poulailler d'Espagne.

Aubade rouge

L'aube éclabousse les monts de sang
Tout drapés de fine brume,

Et l'on entend meugler frémissant
Un bœuf au naseau qui fume.

Voici l'heure de la boucherie.
Le tenant par son licol,

Les gars pour la prochaine tuerie
Ont mis le mouchoir au col.

La hache s'abat avec tel han,
Qu'ils pausent contre habitude.

Procumbit bos. Tel un éléphant
Croule en une solitude.

Le sang gicle. Il laboure des cornes
Le sol teint rouge hideux.

Et Phébus chante aux beuglements mornes
Du bœuf qu'on rupture à deux.

Pan moderne

Pour patrimoine il a sept chèvres ;
Quand l'air de l'aube en ses poumons
Vibre, on le voit passer par monts
Comme un bon dieu la flûte aux lèvres.

Or plus droit qu'if, il a les plèvres
En lui des éternels limons ;
Son œil subjugue les démons
Et les ours le fuient comme lièvres.

Il est des chevriers l'orgueil,
Comme un vénérable chevreuil
Son front a bravé le tonnerre.

Il mourra comme il a vécu,
Probe et chaste, sans un écu.
Je bois à Fritz le centenaire !

VIRGILIENNE

Octobre étend son soir de blanc repos
Comme une ombre de mère morte.

Les chevriers, du son de leurs pipeaux,
Semblent railler la brise forte.

Mais l'un s'est tu. L'instrument, de ses lèvres,
Soudain se dégage à mes pas ;

Celui-là sait mon amour pour ses chèvres ;
Que j'aime à causer aux soirs bas.

Je le respecte... il est vieux, c'est assez ;
Puis, c'est mon trésor bucolique.

Ce centenaire a tout peuplé de ses
Conseils mon cœur mélancolique.

Nous veillons tels parfois tard à nuit brune
Aux intermèdes prompts et doux

De pipeau qui chevrote au clair de lune
Sa vieille sérénade aux houx !

Thème sentimental

Je t'ai vue un soir me sourire
Dans la planète des Bergers :
Tu descendais à pas légers
Du seuil d'un château de porphyre.

Et ton œil de diamant rare
Éblouissait le règne astral.
Femme, depuis, par mont ou val,
Femme, beau marbre de Carrare,

Ta voix me hante en sons chargés
De mystère et fait mon martyre,
Car toujours je te vois sourire
Dans la planète des Bergers.

Bergère

Vous que j'aimai sous les grands houx,
Aux soirs de bohème champêtre,
Bergère, à la mode champêtre,
De ces soirs vous souvenez-vous ?
Vous étiez l'astre à ma fenêtre
Et l'étoile d'or dans les houx.

Aux soirs de bohème champêtre
Vous que j'aimai sous les grands houx,
Bergère, à la mode champêtre,
Où donc maintenant êtes-vous ?
— Vous êtes l'ombre à ma fenêtre
Et la tristesse dans les houx.

Automne

Comme la lande est riche aux heures empourprées,
Quand les cadrans du ciel ont sonné les vesprées !

Quels longs effeuillements d'angélus par les chênes !
Quels suaves appels des chapelles prochaines !

Là-bas, groupes meuglants de grands bœufs
[aux yeux glauques
Vont menés par des gars aux bruyants soliloques.

La poussière déferle en avalanches grises
Pleines du chaud relent des vignes et des brises.

Un silence a plu dans les solitudes proches :
Des Sylphes ont cueilli le parfum mort des cloches.

Quelle mélancolie ! Octobre, octobre en voie !
Watteau ! que je vous aime, Autran, ô Millevoye !

Refoulons la sente

Refoulons la sente
Presque renaissante
À notre ombre passante.

Confabulons là
Avec tout cela
Qui fut de la villa.

Parmi les voix tues
Des vieilles statues
Çà et là abattues.

Dans le parc défunt
Où rôde un parfum
De soir blanc en soir brun…

Maints soirs nous errons dans le val

Maints soirs nous errons dans le val
Que vont drapant les heures grises.
Des pleurs perlent ses yeux d'alises
Quand elle ouït les Cydalises
De ce dieu que fut de Nerval.

Ah ! voudrait-elle en long vol d'or
Les rejoindre dans des domaines
Plus vastes que les cours romaines
Où par d'éternelles semaines
La coupe de Volupté dort,

Ou bien donc ouvrir son printemps
Aux fureurs des fatals cyclones
Qui croulent comme des colonnes
Parmi les chastes Babylones
Du cœur des Belles de vingt ans.

Ah ! chère, que ton cœur est beau !
Laisses-y choir des blancs jours lestes
Fuis la ville, ignore ses pestes.
Tu ne seras près des Célestes
Que le plus loin de son tombeau.

Le Bœuf spectral

Le grand bœuf roux aux cornes glauques
Hante là-bas la paix des champs,
Et va meuglant dans les couchants
Horriblement ses râles rauques.

Et tous ont tu leurs gais colloques
Sous l'orme au soir avec leurs chants.
Le grand bœuf roux aux cornes glauques
Hante là-bas la paix des champs.

Gare, gare aux desseins méchants !
Belles en blanc, vachers en loques,
Prenez à votre cou vos socques !
À travers prés, buissons tranchants,

Fuyez le bœuf aux cornes glauques.

Rêve de Watteau

Quand les pastours, aux soirs des crépuscules roux
Menant leurs grands boucs noirs aux râles d'or
[des flûtes,
Vers le hameau natal, de par delà les buttes,
S'en revenaient, le long des champs piqués de houx;

Bohèmes écoliers, âmes vierges de luttes,
Pleines de blanc naguère et de jours sans courroux,
En rupture d'étude, aux bois jonchés de brous
Nous allions, gouailleurs, prêtant l'oreille aux chutes

Des ruisseaux, dans le val que longeait en jappant
Le petit chien berger des calmes fils de Pan
Dont le pipeau qui pleure appelle, tout au loin.

Puis, las, nous nous couchions, frissonnants
[jusqu'aux moelles,
Et parfois, radieux, dans nos palais de foin,
Nous déjeunions d'aurore et nous soupions d'étoiles...

Qu'elle est triste en Octobre avec sa voix pourprée

Qu'elle est triste en Octobre avec sa voix pourprée
La Vesprée !

Ses funéraires los enamourent les choses
Trop moroses.

En chambre rose et blanche une vierge repose
Blanche et rose.

Et le hameau se tait. Les bergers qui reviennent
Se souviennent

Dans la marche des monts parmi le ranz des sources
De ses courses

D'autrefois avec eux. Archange bucolique
Ô relique

D'enfance à jamais douce ! Un d'entre eux là ne parle.
C'est Fritz. Car le

Vieux chevrier, le roi des chèvres vagabondes
Près des ondes,

L'aima. Qu'il la déplore ! Il était son égide
Bloc rigide

Contre lequel les Temps avaient usé leur lime.
Le sublime

Vieillard pleurait sa mort comme une fleur de neige.
Un cortège

S'est formé. Deux bras lourds l'amènent en chapelle.
Une pelle

Dans le souterrain creuse un exil de la vie
Qu'ont suivie

Tous mes pas douloureux. Elle gît là en terre,
Solitaire.

Je l'entends dans mon rêve. Elle pleure en les cloches
Aux approches

Du soir. J'ai gardé d'elle un souvenir de frère,
Lutte chère

Avec l'autre d'antan. Chez moi, douleur n'est fraîche,
Elle est sèche

De ce feu qui l'embrase en ses rouges fournaises
Dans les braises.

Douleur où j'ai tant soif que je boirais les mondes
Et leurs ondes.

Douleur où je péris comme un lys sur console
Sans parole...

Qu'elle est triste en Octobre avec sa voix pourprée
La Vesprée !...

Les Pieds sur les chenets

« Amours d'élite »

Vasque

À ma très chère, ultime amie,
Melle Édith…

La vasque somnolente aux chansons de la lune
        Vocalise d'une voix d'eau d'or,
Et le feuillage jaune au doux bruissement d'une
Brise triste emmi l'ombre aux chansons de la lune
        Soupire et rit dans la nuit qui dort.

Or les aimés s'en vont pleureurs au blanc de lune,
        Le faune jase à la nuit qui dort,
Et leur vertige est tel qu'ils voudraient mourir d'une
Mort de Cygne, noyés au glauque de la lune
        Enlacés dans la Vasque d'eau d'or.

Caprice blanc

L'hiver, de son pinceau givré, barbouille aux vitres
Des pastels de jardins de roses en glaçons.
Le froid pique de vif et relègue aux maisons
Milady, canaris et les jockos bélîtres.

Mais la petite Miss en berline s'en va,
Dans son vitchoura blanc, une ombre de fourrures,
Bravant l'intempérie et les âcres froidures,
Et plus d'un, à la voir cheminer, la rêva.

Ses deux chevaux sont blancs et sa voiture aussi,
Menés de front par un cockney, flegme sur siège.
Leurs sabots font des trous ronds et creux dans la neige;
Tout le ciel s'enfarine en un soir obscurci.

Elle a passé, tournant sa prunelle câline
Vers moi. Pour compléter alors l'immaculé
De ce décor en blanc, bouquet dissimulé,
Je lui jetai mon cœur au fond de sa berline.

Hiver sentimental

Loin des vitres ! clairs yeux dont je bois les liqueurs,
Et ne vous souillez pas à contempler les plèbes.
Des gels norvégiens métallisent les glèbes,
Que le froid des hivers nous réchauffe les cœurs !

Tels des guerriers pleurant les ruines de Thèbes,
Ma mie, ainsi toujours courtisons nos rancœurs,
Et, dédaignant la vie aux chants sophistiqueurs,
Laissons le bon Trépas nous conduire aux Érèbes.

Tu nous visiteras comme un spectre de givre ;
Nous ne serons pas vieux, mais déjà las de vivre,
Mort ! que ne nous prends-tu par telle après-midi,

Languides au divan, bercés par sa guitare,
Dont les motifs rêveurs, en un rythme assourdi,
Scandent nos ennuis lourds sur la valse tartare !

Le Mai d'amour

Voici que verdit le printemps
Où l'heure au cœur sonne vingt ans,
    Larivarite et la la ri ;
Voici que j'ai touché l'époque
Où l'on est las d'habits en loque,
Au gentil sieur il faudra ça
        Ça
        La la ri
Jeunes filles de bel humour,
Donnez-nous le mai de l'amour,
    Larivarite et la la ri.

Soyez blonde ou brune ou châtaine,
Ayez les yeux couleur lointaine
    Larivarite et la la ri ;
Des astres bleus, des perles roses,
Mais surtout, pas de voix moroses,
Belles de liesse, il faudra ça
        Ça
        La la ri
Il faudra battre un cœur de joie
Tout plein de gaîté qui rougeoie,
    Larivarite et la la ri.

Moi, j'ai rêvé de celle-là
Au cœur triste dans le gala
    Larivarite et la la ri ;
Comme l'oiseau d'automne au bois
Ou le rythme du vieux hautbois,
Un cœur triste, il me faudra ça

Ça
La la ri
Triste comme une main d'adieu
Et pur comme les yeux de Dieu,
Larivarite et la la ri.

Voici que vient l'amour de mai,
Vivez-le vite, le cœur gai,
Larivarite et la la ri;
Ils tombent tôt les jours méchants,
Vous cesserez aussi vos chants;
Dans le cercueil il faudra ça
Ça
La la ri
Belles de vingt ans au cœur d'or,
L'amour, sachez-le, tôt s'endort,
Larivarite et la la ri.

Placet pour des cheveux

Reine, acquiescez-vous qu'une boucle déferle
Des lames des cheveux aux lames du ciseau,
Pour que j'y puisse humer un peu de chant d'oiseau,
Un peu de soir d'amour né de vos yeux de perle ?

Au bosquet de mon cœur, en des trilles de merle,
Votre âme a fait chanter sa flûte de roseau.
Reine, acquiescez-vous qu'une boucle déferle
Des lames des cheveux aux lames du ciseau ?

Fleur soyeuse aux parfums de rose, lis ou berle,
Je vous la remettrai, secrète comme un sceau,
Fût-ce en Éden, au jour que nous prendrons vaisseau
Sur la mer idéale où l'ouragan se ferle.

Reine, acquiescez-vous qu'une boucle déferle ?

Lied fantasque

Casqués de leurs shakos de riz,
Vieux de la vieille au mousquet noir,
Les hauts toits, dans l'hivernal soir,
Montent la consigne à Paris.

Les spectres sur le promenoir
S'ébattent en défilés gris.
Restons en intime pourpris,
Comme cela, sans dire ou voir…

Pose immobile la guitare,
Gretchen, ne distrais le bizarre
Rêveur sous l'ivresse qui plie.

Je voudrais cueillir une à une
Dans tes prunelles clair-de-lune
Les roses de ta Westphalie.

Gretchen la pâle

Elle est de la beauté des profils de Rubens
Dont la majesté calme à la sienne s'incline.
Sa voix a le son d'or de mainte mandoline
Aux balcons de Venise avec des chants lambins.

Ses cheveux, en des flots lumineux d'eaux de bains,
Déferlent sur sa chair vierge de manteline ;
Son pas, soupir lacté de fraîche mousseline,
Simule un vespéral marcher de chérubins.

Elle est comme de l'or d'une blondeur étrange.
Vient-elle de l'Éden ? de l'Érèbe ? Est-ce un Ange
Que ce mystérieux chef-d'œuvre du limon ?

La voilà se dressant, torse, comme un jeune arbre.
Souple Anadyomène... Ah ! gare à ce démon !
C'est le Paros qui tue avec ses bras de marbre !

Frisson d'hiver

Les becs de gaz sont presque clos :
Chauffe mon cœur dont les sanglots
S'épanchent dans ton cœur par flots,
Gretchen !

Comme il te dit de mornes choses,
Ce clavecin de mes névroses,
Rythmant le deuil hâtif des roses,
Gretchen !

Prends-moi le front, prends-moi les mains,
Toi, mon trésor de rêves maints
Sur les juvéniles chemins,
Gretchen !

Quand le givre qui s'éternise
Hivernalement s'harmonise
Aux vieilles glaces de Venise,
Gretchen !

Et que nos deux gros chats persans
Montrent des yeux reconnaissants
Près de l'âtre aux feux bruissants,
Gretchen !

Et qu'au frisson de la veillée,
S'élance en tendresse affolée
Vers toi mon âme inconsolée,
Gretchen !

Chauffe mon cœur, dont les sanglots
S'épanchent dans ton cœur par flots.
Les becs de gaz sont presque clos…
Gretchen !

Châteaux en Espagne

Je rêve de marcher comme un conquistador,
Haussant mon labarum triomphal de victoire,
Plein de fierté farouche et de valeur notoire,
Vers des assauts de ville aux tours de bronze et d'or.

Comme un royal oiseau, vautour, aigle ou condor,
Je rêve de planer au divin territoire,
De brûler au soleil mes deux ailes de gloire
À vouloir dérober le céleste Trésor.

Je ne suis hospodar, ni grand oiseau de proie;
À peine si je puis dans mon cœur qui guerroie
Soutenir le combat des vieux Anges impurs;

Et mes rêves altiers fondent comme des cierges
Devant cette Ilion éternelle aux cent murs,
La ville de l'Amour imprenable des Vierges!

Rêve d'artiste

Parfois j'ai le désir d'une sœur bonne et tendre,
D'une sœur angélique au sourire discret:
Sœur qui m'enseignera doucement le secret
De prier comme il faut, d'espérer et d'attendre.

J'ai ce désir très pur d'une sœur éternelle,
D'une sœur d'amitié dans le règne de l'Art,
Qui me saura veillant à ma lampe très tard
Et qui me couvrira des cieux de sa prunelle;

Qui me prendra les mains quelquefois dans les siennes
Et me chuchotera d'immaculés conseils,
Avec le charme ailé des voix musiciennes;

Et pour qui je ferai, si j'aborde à la gloire,
Fleurir tout un jardin de lys et de soleils
Dans l'azur d'un poème offert à sa mémoire.

À UNE FEMME DÉTESTÉE

Car dans ces jours de haine et ces temps de combats
Je fus de ces souffrants que leur langueur isole
Sans qu'ils aient pu trouver la Femme qui console
Et vous remplit le cœur rien qu'à parler tout bas.

Georges RODENBACH

Combien je vous déteste et combien je vous fuis:
Vous êtes pourtant belle et très noble d'allure,
Les Séraphins ont fait votre ample chevelure
Et vos regards couleur du charme brun des nuits.

Depuis que vous m'avez froissé, jamais depuis,
N'ai-je pu tempérer cette intime brûlure:
Vous m'avez fait souffrir, volage créature,
Pendant qu'en moi grondait le volcan des ennuis.

Moi, sans amour jamais qu'un amour d'Art, Madame,
Et vous, indifférente et qui n'avez pas d'âme,
Vieillissons tous les deux pour ne jamais nous voir.

Je ne dois pas courber mon front devant vos charmes;
Seulement, seulement, expliquez-moi ce soir,
Cette tristesse au cœur qui me cause des larmes.

Le Vent, le vent triste de l'Automne !

> Beauté des femmes, leur faiblesse et ces mains pâles
> Qui font souvent le bien, et peuvent tout le mal.
>
> Paul VERLAINE

Avec le cri qui sort d'une gorge d'enfant,
Le vent de par les bois, funèbre et triomphant,
Le vent va, le vent court dans l'écorce qu'il fend
Mêlant son bruit lointain au bruit d'un olifant.

Puis voici qu'il s'apaise, endormant ses furies
Comme au temps où jouant dans les nuits attendries
Son violon berçait nos roses rêveries,
Choses qui parfumiez les ramures fleuries !

Comme lui, comme lui qui fatal s'élevant
Et gronde et rage et qui se tait aussi souvent,
Ô femme, ton amour est parallèle au Vent :

Avant de nous entrer dans l'âme, il nous effleure ;
Une fois pénétré pour nous briser, vient l'heure
Où sur l'épars débris de nos cœurs d'homme, il pleure !

Beauté cruelle

Certe, il ne faut avoir qu'un amour en ce monde,
Un amour, rien qu'un seul, tout fantasque soit-il ;
Et moi qui le recherche ainsi, noble et subtil,
Voilà qu'il m'est à l'âme une entaille profonde.

Elle est hautaine et belle, et moi timide et laid :
Je ne puis l'approcher qu'en des vapeurs de rêve.
Malheureux ! Plus je vais, et plus elle s'élève
Et dédaigne mon cœur pour un œil qui lui plaît.

Voyez comme, pourtant, notre sort est étrange !
Si nous eussions tous deux fait de figure échange,
Comme elle m'eût aimé d'un amour sans pareil !

Et je l'eusse suivie en vrai fou de Tolède,
Aux pays de la brume, aux landes du soleil,
Si le Ciel m'eût fait beau, et qu'il l'eût faite laide !

Roses d'octobre

Pour ne pas voir choir les roses d'automne
Cloître ton cœur mort en mon cœur tué.
Vers les soirs souffrants mon deuil s'est rué
Parallèlement au mois monotone.

Le carmin pâli de la fleur détonne
Dans le bois dolent de roux ponctué.
Pour ne pas voir choir les roses d'automne
Cloître ton cœur mort en mon cœur tué.

Là-bas, les cyprès ont l'aspect atone :
À leur ombre on est vite habitué.
Sous terre un lit frais s'ouvre situé,
Nous y dormirons tous deux, ma mignonne,

Pour ne pas voir choir les roses d'automne.

Le Robin des bois

Pendant que nous lisions Werther au fond des bois,
Hier s'en vint chanter un robin dans les branches;
Et j'ai saisi vos mains, j'ai saisi vos mains blanches,
Et je vous ai parlé d'amour comme autrefois.

Mais vous êtes restée insensible à ma voix,
Muette au jeune aveu des affections franches;
Quand soudain, vous levant, courant dans les pervenches,
Émue, et m'appelant, vous m'avez crié: «Vois!»

Voici qu'était tombé du frissonnant feuillage
L'oiseau sentimental, frappé dans son jeune âge,
Et qui mourait sitôt, pauvre ami du printemps.

Et vous, vous le pleuriez, regrettant sa romance,
Pendant que je songeais, fixant l'azur immense:
Le Robin et l'Amour sont morts en même temps!

Rythmes du soir

Voici que le dahlia, la tulipe et les roses
Parmi les lourds bassins, les bronzes et les marbres
Des grands parcs où l'Amour folâtre sous les arbres
Chantent dans les soirs bleus; monotones et roses

Chantent dans les soirs bleus la gaîté des parterres,
Où danse un clair de lune aux pieds d'argent obliques,
Où le vent de scherzos quasi mélancoliques
Trouble le rêve lent des oiseaux solitaires,

Voici que le dahlia, la tulipe et les roses,
Et le lys cristallin épris du crépuscule,
Blêmissent tristement au soleil qui recule,
Emportant la douleur des bêtes et des choses;

Voici que le dahlia, comme un amour qui saigne,
Attend d'un clair matin les baisers frais et roses,
Et voici que le lys, la tulipe et les roses
Pleurent les souvenirs dont mon âme se baigne.

SOIRS D'AUTOMNE*

Voici que *la tulipe et voilà que* les roses,
Sous le geste massif des bronzes et *des* marbres,
Dans le Parc où l'Amour folâtre sous les arbres,
Chantent dans les *longs* soirs monotones et roses.

Dans les soirs *a chanté* la *gaîté* des parterres
Où danse un clair de lune *en des poses* obliques,
Et de grands souffles vont, lourds et mélancoliques,
Troubler le rêve *blanc* des oiseaux solitaires.

Voici que *la tulipe et voilà que* les roses,
Et *les lys cristallins, pourprés de* crépuscules,
Rayonnent tristement au soleil qui recule,
Emportant la douleur des bêtes et des choses.

Et mon amour meurtri, comme *une chair* qui saigne,
Repose sa blessure et calme ses névroses.
Et voici que *les lys*, la tulipe et les roses
Pleurent les souvenirs *où* mon âme se baigne.

---

* Deuxième version du poème «Rythmes du soir». Les variantes par rapport au premier sont indiquées en italique.

Rêves enclos

Enfermons-nous mélancoliques
Dans le frisson tiède des chambres,
Où les pots de fleurs des septembres
Parfument comme des reliques.

Tes cheveux rappellent les ambres
Du chef des vierges catholiques
Aux vieux tableaux des basiliques,
Sur les ors charnels de tes membres.

Ton clair rire d'émail éclate
Sur le vif écrin écarlate
Où s'incrusta l'ennui de vivre.

Ah ! puisses-tu vers l'espoir calme
Faire surgir comme une palme
Mon cœur cristallisé de givre !

Récitals étranges

« Motifs de Pipeau » [1898]

« Les Pieds sur les Chenêts » [1898,1899]

« Lied » [1899]

VIEUX PIANO

> Plein de la voix mêlée autrefois à la sienne,
> Et triste, un clavecin d'ébène que domine
> Une coupe où se meurt, tendre, une balsamine,
> Pleure les doigts défunts de la musicienne.
>
> Catulle MENDÈS

L'âme ne frémit plus chez ce vieil instrument;
Son couvercle baissé lui donne un aspect sombre;
Relégué du salon, il sommeille dans l'ombre,
Ce misanthrope aigri de son isolement.

Je me souviens encor des nocturnes sans nombre
Que me jouait ma mère, et je songe, en pleurant,
À ces soirs d'autrefois, passés dans la pénombre,
Quand Liszt se disait triste et Beethoven mourant.

Ô vieux piano d'ébène, image de ma vie,
Comme toi du bonheur ma pauvre âme est ravie,
Il te manque une artiste, il me faut l'Idéal;

Et pourtant là tu dors, ma seule joie au monde,
Qui donc fera renaître, ô détresse profonde,
De ton clavier funèbre un concert triomphal?

Salons allemands

Je me figure encor ces grands salons muets
Pleins de velours usés et d'aïeules pensives,
De lustres vacillants éblouis des convives
Qui tournaient dans la valse et les vieux menuets.

Je repense aux portraits d'autrefois suspendus
Sur le haut des foyers et qui semblaient nous dire
Dans leur langue de mort : Vivants, pourquoi tant rire ?
Et les beaux vers de Gœthe aux soirs d'or entendus.

J'évoque les tableaux flamands, et les artistes
Qui songeaient en fumant dans leurs chaises tout tristes
Et dont l'œil se portait vers l'âtre hospitalier.

Mais surtout et je pleure et ne sais que résoudre…
Car voici que j'entends chanter sur l'escalier
Le vieux ténor hongrois aux longs cheveux en poudre.

LES ANGÉLIQUES

Des soirs, j'errais en lande hors du hameau natal,
Perdu parmi l'orgueil serein des grands monts roses,
Et les Anges, à flots de longs timbres moroses,
Ébranlaient les bourdons, au vent occidental.

Comme un berger-poète au cœur sentimental,
J'aspirais leur prière en l'arôme des roses,
Pendant qu'aux ors mourants, mes troupeaux de névroses
Vagabondaient le long des forêts de santal.

Ainsi, de par la vie où j'erre solitaire,
J'ai gardé dans mon âme un coin de vieille terre,
Paysage ébloui des soirs que je revois;

Alors que, dans ta lande intime, tu rappelles,
Mon cœur, ces angélus d'antan, fanés, sans voix:
Tous ces oiseaux de bronze envolés des chapelles!

FIVE O'CLOCK

Comme Liszt se dit triste au piano voisin !

. . . .

Le givre a ciselé de fins vases fantasques,
Bijoux d'orfèvrerie, orgueils de Cellini,
Aux vitres du boudoir dont l'embrouillamini
Désespère nos yeux de ses folles bourrasques.

Comme Haydn est triste au piano voisin !

. . . .

Ne sors pas ! Voudrais-tu défier les bourrasques,
Battre les trottoirs froids par l'embrouillamini
D'hiver ? Reste. J'aurai tes ors de Cellini,
Tes chers doigts constellés de leurs bagues fantasques.

Comme Mozart est triste au piano voisin !

. . . .

Le Five o'clock expire en mol ut crescendo.
— Ah ! qu'as-tu ? tes chers cils s'amalgament de perles.
— C'est que je vois mourir le jeune espoir des merles
Sur l'immobilité glaciale des jets d'eau.

. . . . sol, la, si, do.
— Gretchen, verse le thé aux tasses de Yeddo.

VIOLON DE VILLANELLE

Sous le clair de lune au frais du vallon,
Beaux gars à chefs bruns, belles à chef blond,
Au son du hautbois ou du violon
        Dansez la villanelle.

La lande est noyée en des parfums bons.
Attisez la joie au feu des charbons ;
Allez-y gaiement, allez-y par bonds,
        Dansez la villanelle.

Sur un banc de chêne ils sont là, les vieux,
Vous suivant avec des pleurs dans les yeux,
Lorsqu'en les frôlant vous passez joyeux...
        Dansez la villanelle.

Allez-y gaiement ! que l'orbe d'argent
Croise sur vos fronts son reflet changeant ;
Bien avant dans la nuit, à la Saint-Jean
        Dansez la villanelle !

Tarentelle d'automne

Vois-tu près des cohortes bovines
Choir les feuilles dans les ravines,
    Dans les ravines ?

Vois-tu sur le coteau des années
Choir mes illusions fanées,
    Toutes fanées ?

Avec quelles rageuses prestesses
Court la bise de nos tristesses,
    De mes tristesses !

Vois-tu près des cohortes bovines
Choir les feuilles dans les ravines,
    Dans les ravines ?

Ma sérénade d'octobre enfle une
Funéraire voix à la lune,
    Au clair de lune.

Avec quelles rageuses prestesses
Court la bise de nos tristesses,
    De mes tristesses !

Le doguet bondit dans la vallée.
Allons-nous-en par cette allée,
    La morne allée !

Ma sérénade d'octobre enfle une
Funéraire voix à la lune,
Au clair de lune.

On dirait que chaque arbre divorce
Avec sa feuille et son écorce,
Sa vieille écorce.

Ah ! vois sur la pente des années
Choir mes illusions fanées,
Toute fanées !

Le Violon brisé

Aux soupirs de l'archet béni,
Il s'est brisé, plein de tristesse,
Le soir que vous jouiez, comtesse,
Un thème de Paganini.

Comme tout choit avec prestesse !
J'avais un amour infini,
Ce soir que vous jouiez, comtesse,
Un thème de Paganini.

L'instrument dort sous l'étroitesse
De son étui de bois verni,
Depuis le soir où, blonde hôtesse,
Vous jouâtes Paganini.

Mon cœur repose avec tristesse
Au trou de notre amour fini.
Il s'est brisé le soir, comtesse,
Que vous jouiez Paganini.

VIOLON D'ADIEU

Vous jouiez Mendelssohn ce soir-là; les flammèches
Valsaient dans l'âtre clair, cependant qu'au salon
Un abat-jour mêlait en ondulement long
Ses rêves de lumière au châtain de vos mèches.

Et tristes, comme un bruit frissonnant de fleurs sèches
Éparses dans le vent vespéral du vallon,
Les notes sanglotaient sur votre violon
Et chaque coup d'archet trouait mon cœur de brèches.

Or, devant qu'il se fût fait tard, je vous quittai,
Mais jusqu'à l'aube errant, seul, morose, attristé,
Contant ma jeune peine au lunaire mystère,

Je sentais remonter comme d'amers parfums
Ces musiques d'adieu qui scellaient sous la terre
Et mon rêve d'amour et mes espoirs défunts.

Sonnet d'or

Dans le soir triomphal la froidure agonise
Et les frissons divins du printemps ont surgi ;
L'Hiver n'est plus, vivat ! car l'Avril bostangi,
Du grand sérail de Flore a repris la maîtrise.

Certe, ouvre ta persienne, et que cet air qui grise,
Se mêlant aux reflets d'un ciel pur et rougi,
Rôde dans le boudoir où notre amour régit
Avec les sons mourants que ton luth improvise.

Allègre, Yvette, allègre, et crois-moi : j'aime mieux
Me griser du chant d'or de ces oiseaux joyeux,
Que d'entendre gémir ton grand clavier d'ivoire.

Allons rêver au parc verdi sous le dégel :
Et là tu me diras si leur Avril de gloire
Ne vaut pas en effet tout Mozart et Haendel.

Pour Ignace Paderewski

Maître, quand j'entendis, de par tes doigts magiques,
Vibrer ce grand Nocturne, à des bruits d'or pareil ;
Quand j'entendis, en un sonore et pur éveil,
Monter sa voix, parfum des astrales musiques ;

Je crus que, revivant ses rythmes séraphiques
Sous l'éclat merveilleux de quelque bleu soleil,
En toi, ressuscité du funèbre sommeil,
Passait le grand vol blanc du Cygne des phtisiques.

Car tu sus ranimer son puissant piano,
Et ton âme à la sienne en un mystique anneau
S'enchaîne étrangement par des causes secrètes.

Sois fier, Paderewski, du prestige divin
Que le ciel te donna, pour que chez les poètes
Tu fisses frissonner l'âme du grand Chopin !

Chopin

Fais, au blanc frisson de tes doigts,
Gémir encore, ô ma maîtresse !
Cette marche dont la caresse
Jadis extasia les rois.

Sous les lustres aux prismes froids,
Donne à ce cœur sa morne ivresse,
Aux soirs de funèbre paresse
Coulés dans ton boudoir hongrois.

Que ton piano vibre et pleure,
Et que j'oublie avec toi l'heure
Dans un Éden, on ne sait où…

Oh ! fais un peu que je comprenne
Cette âme aux sons noirs qui m'entraîne
Et m'a rendu malade et fou !

Mazurka

Rien ne captive autant que ce particulier
Charme de la musique où ma langueur s'adore,
Quand je poursuis, aux soirs, le reflet que mordore
Maint lustre au tapis vert du salon familier.

Que j'aime entendre alors, plein de deuil singulier,
Monter du piano, comme d'une mandore
Le rythme somnolent où ma névrose odore
Son spasme funéraire et cherche à s'oublier !

Gouffre intellectuel, ouvre-toi, large et sombre,
Malgré que toute joie en ta tristesse sombre,
J'y peux trouver encor comme un reste d'oubli,

Si mon âme se perd dans les gammes étranges
De ce motif en deuil que Chopin a poli
Sur un rythme inquiet appris des noirs Archanges.

Le Salon

La poussière s'étend sur tout le mobilier,
Les miroirs de Venise ont défleuri leur charme;
Il y rôde comme un très vieux parfum de Parme,
La funèbre douceur d'un sachet familier.

Plus jamais ne résonne à travers le silence
Le chant du piano dans des rythmes berceurs,
Mendelssohn et Mozart, mariant leurs douceurs,
Ne s'entendent qu'en rêve aux soirs de somnolence.

Mais le poète, errant sous son massif ennui,
Ouvrant chaque fenêtre aux clartés de la nuit,
Et se crispant les mains, hagard et solitaire,

Imagine soudain, hanté par des remords,
Un grand bal solennel tournant dans le mystère,
Où ses yeux ont cru voir danser les parents morts.

Petite Chapelle

«Clavecin Céleste»
à sainte Cécile [1898]

«Clavecin Céleste» [1899]

PRIÈRE DU SOIR

Lorsque tout bruit était muet dans la maison,
Et que mes sœurs dormaient dans des poses lassées
Aux fauteuils anciens d'aïeules trépassées,
Et que rien ne troublait le tacite frisson,

Ma mère descendait à pas doux de sa chambre ;
Et, s'asseyant devant le clavier noir et blanc,
Ses doigts faisaient surgir de l'ivoire tremblant
La musique mêlée aux lunes de septembre.

Moi, j'écoutais, cœur dans la peine et les regrets,
Laissant errer mes yeux vagues sur le Bruxelles,
Ou, dispersant mon rêve en noires étincelles,
Les levant pour scruter l'énigme des portraits.

Et cependant que tout allait en somnolence
Et que montaient les sons mélancoliquement
Au milieu du tic-tac du vieux Saxe allemand,
Seuls bruits intermittents qui coupaient le silence,

La nuit s'appropriait peu à peu les rideaux
Avec des frissons noirs à toutes les croisées,
Par ces soirs, et malgré les bûches embrasées,
Comme nous nous sentions soudain du froid au dos !

L'horloge chuchotant minuit au deuil des lampes,
Mes sœurs se réveillaient pour regagner leur lit,
Yeux mi-clos, chevelure éparse, front pâli,
Sous l'assoupissement qui leur frôlait les tempes ;

Mais au salon empli de lunaires reflets,
Avant de remonter pour le calme nocturne,
C'était comme une attente inerte et taciturne,
Puis, brusque, un cliquetis d'argent de chapelets…

Et pendant que de Liszt les sonates étranges
Lentement achevaient de s'endormir en nous,
La famille faisait la prière à genoux
Sous le lointain écho du clavecin des anges.

NOTRE-DAME-DES-NEIGES

Sainte Notre-Dame, en beau manteau d'or,
De sa lande fleurie
Descend chaque soir, quand son Jésus dort,
En sa Ville-Marie.
Sous l'astral flambeau que portent ses anges,
La belle Vierge va
Triomphalement, aux accords étranges
De céleste bîva.

Sainte Notre-Dame a là-haut son trône
Sur notre Mont-Royal ;
Et de là, son œil subjugue le Faune
De l'abîme infernal.
Car elle a dicté : « Qu'un ange protège
De son arme de feu
Ma ville d'argent au collier de neige »,
La Dame du Ciel bleu !

Sainte Notre-Dame, oh ! tôt nous délivre
De tout joug pour le tien ;
Chasse l'étranger ! Au pays de givre
Sois-nous force et soutien.
Ce placet fleuri de choses dorées,
Puisses-tu de tes yeux,
Bénigne, le lire aux roses vesprées,
Quand tu nous viens des Cieux !

Sainte Notre-Dame a pleuré longtemps
    Parmi ses petits anges ;
Tellement, dit-on, qu'en les cieux latents
    Se font des bruits étranges.
Et que notre Vierge entraînant l'Éden,
    Ô floraison chérie !
Va tôt refleurir en même jardin
    Sa France et sa Ville-Marie…

Christ en croix

Je remarquais toujours ce grand Jésus de plâtre
Dressé comme un pardon au seuil du vieux couvent,
Échafaud solennel à geste noir, devant
Lequel je me courbais, saintement idolâtre.

Or, l'autre soir, à l'heure où le cri-cri folâtre,
Par les prés assombris, le regard bleu rêvant,
Récitant Éloa, les cheveux dans le vent,
Comme il sied à l'Éphèbe esthétique et bellâtre,

J'aperçus, adjoignant des débris de parois,
Un gigantesque amas de lourde vieille croix
Et de plâtre écroulé parmi les primevères ;

Et je restai là, morne, avec les yeux pensifs,
Et j'entendais en moi des marteaux convulsifs
Renfoncer les clous noirs des intimes Calvaires !

Les Déicides

I

Ils étaient là, les Juifs, les tueurs de prophètes,
Quand le sanglant Messie expirait sur la croix ;
Ils étaient là, railleurs et bourreaux à la fois ;
Et Sion à son crime entremêlait des fêtes.

Or, voici que soudain, sous le vent des tempêtes,
Se déchira le voile arraché des parois.
Les Maudits prirent fuite : on eût dit que le poids
De leur forfait divin s'écroulait sur leurs têtes.

Depuis, de par la terre, en hordes de damnés,
Comme des chiens errants, ils s'en vont, condamnés
Au remords éternel de leur race flétrie,

Trouvant partout, le long de leur âpre chemin,
Le mépris pour pitié, les ghettos pour patrie,
Pour aumône l'affront lorsqu'ils tendront la main.

II

D'autres sont là, pareils à ces immondes hordes,
Écrasant le Sauveur sous des monts de défis,
Alors qu'Il tend vers eux, du haut des crucifix,
Ses deux grands bras de bronze en sublimes exordes.

Écumant du venin des haineuses discordes
Et crachant un blasphème au Pain que tu leur fis,
Ils passent. Or, ceux-là, mon Dieu, qu'on dit tes fils,
Te hachent à grands coups de symboliques cordes.

Aussi, de par l'horreur des infinis exils,
Lamentables troupeaux, ces sacrilèges vils
S'en iront, fous de honte, aux nuits blasphématoires,

Alors que sur leur front, mystérieux croissant,
Luira, comme un blason de leurs tortures noires,
Le stigmate éternel de quelque hostie en sang.

La Réponse du crucifix

En expirant sur l'arbre affreux du Golgotha,
De quel regret ton âme, ô Christ, fut-elle pleine ?
Était-ce de laisser Marie et Madeleine
Et les autres, au roc où la Croix se planta ?

Quand le funèbre chœur sous Toi se lamenta,
Et que les clous crispaient tes mains ; quand, par la plaine,
Ton âme eut dispersé la fleur de son haleine,
Devançant ton essor vers le céleste État,

Quel fut ce grand soupir de tristesse infinie
Qui s'exhala de Toi lorsque, l'œuvre finie,
Tu t'apprêtais enfin à regagner le But ?

Me dévoileras-tu cet intime mystère ?
— Ce fut de ne pouvoir, jeune homme, le fiel bu,
Serrer contre mon cœur mes bourreaux sur la Terre !

Diptyque

En une très vieille chapelle
Je sais un diptyque flamand
Où Jésus, près de sa maman,
Creuse le sable avec sa pelle.

Non peint par Rubens ou Memling,
Mais digne de leurs galeries ;
La Vierge, en blanches draperies,
Au rouet blanc file son lin.

La pelle verdelette peinte
Scintille aux mains grêles de Dieu ;
Le soleil brûle un rouge adieu
Là-bas, devers Sion la sainte.

Le jeune enfant devant la hutte
Du charpentier de Nazareth
Entasse un amas qu'on dirait
Être l'assise d'une butte.

Jésus en jouant s'est sali ;
Ses doigts sont tachetés de boue,
Et le travail sur chaque joue,
A mis comme un rayon pâli.

Quelle est cette tâche sévère
Que Jésus si précoce apprit ?
Posait-il donc en son esprit
Les bases d'un futur Calvaire ?

Les Petits Oiseaux

Puisque Rusbrock m'enseigne
À moi, dont le cœur saigne
Sur tout ce qui se baigne
    Dans le malheur,
À vous aimer, j'élève
Ma pensée à ce rêve :
De vous faire une grève
    Avec mon cœur.

Là donc, oiseaux sauvages,
Contre tous les ravages,
Vous aurez vos rivages
    Et vos abris :
Colombes, hirondelles,
Entre mes mains fidèles,
Oiseaux aux clairs coups d'ailes,
    Ô colibris !

Sûrs vous pourrez y vivre
Sans peur des soirs de givre,
Où sous l'astre de cuivre,
    Morne flambeau !
Souventes fois, cortège
Qu'un vent trop dur assiège,
Vous trouvez sous la neige
    Votre tombeau.

Protégés sans relâche,
Ainsi contre un plomb lâche,
Quand je clorai ma tâche,
    Membres raidis;
Vous, par l'immense voûte
Me guiderez sans doute,
Connaissant mieux la route
    Du Paradis!

Les communiantes

Calmes, elles s'en vont, défilant aux allées
De la chapelle en fleurs, et je les suis des yeux,
Religieusement joignant mes doigts pieux,
Plein de l'ardent regret des ferveurs en allées.

Voici qu'elles se sont toutes agenouillées
Au mystique repas qui leur descend des cieux,
Devant l'autel piqué de flamboiements joyeux
Et d'une floraison de fleurs immaculées.

Leur séraphique ardeur fut si lente à finir
Que tout à l'heure encore, à les voir revenir
De l'agape céleste au divin réfectoire,

Je crus qu'elles allaient vraiment prendre l'essor,
Comme si, se glissant sous leurs voiles de gloire,
Un ange leur avait posé des ailes d'or.

Communion pascale

Douceur, douceur mystique ! ô la douceur qui pleut !
Est-ce que dans nos cœurs est tombé le ciel bleu ?

Tout le ciel, ce dimanche, à la messe de Pâques,
Dissipant le brouillard des tristesses opaques ;

Plein d'Archanges, porteurs triomphaux d'encensoirs,
Porteurs d'urnes de paix, porteurs d'urnes d'espoirs ;

Aux sons du récital de Cécile la sainte,
Que l'orgue répercute en la pieuse enceinte,

Serait-ce qu'un nouvel Éden s'opère en nous,
Pendant que le Sanctus nous prosterne à genoux ?

Et pendant que nos yeux, sous les lueurs rosées,
Deviennent des miroirs d'âmes séraphisées,

Sous le matin joyeux, parmi les vitraux peints
Dont la gloire s'allie au nimbe d'or des saints ?

Douceur, d'où nous viens-tu, religieux mystère,
Extase qui nous fais étrangers à la terre ?

Ô Foi ! N'est-ce pas l'heure adorable où le Christ
Étant ressuscité, selon qu'il est écrit,

Ressuscite pour Lui nos âmes amorties
Sous les petits soleils des pascales Hosties ?

Les Moines

Ils défilent au chant étoffé des sandales,
Le chef bas, égrenant de massifs chapelets,
Et le soir qui s'en vient, du sang de ses reflets
Mordore la splendeur funéraire des dalles.

Ils s'effacent soudain, comme en de noirs dédales,
Au fond des corridors pleins de pourpres relais
Où de grands anges peints aux vitraux verdelets
Interdisent l'entrée aux terrestres scandales.

Leur visage est funèbre, et dans leurs yeux sereins
Comme les horizons vastes des cieux marins,
Flambe l'austérité des froides habitudes.

La lumière céleste emplit leur large esprit,
Car l'Espoir triomphant creusa les solitudes
De ces silencieux spectres de Jésus-Christ.

La Mort du moine

Voici venir les tristes frères
Vers la cellule où tu te meurs.
Ton esprit est plein de clameurs
Et de musiques funéraires.

Apportez-lui le Viatique.
Saint Bénédict, aidez sa mort !
Bien que faible, faites-le fort
Sous votre sainte égide antique.

Ainsi soit-il au cœur de Dieu !
Clément, dis un riant adieu
Aux liens impurs de cette terre.

Et pars, rentre dans ton Espoir.
Que les bronzes du monastère
Sonnent ton âme au ciel ce soir !

LES CARMÉLITES

Parmi le deuil du cloître elles vont solennelles,
Et leurs pas font courir un frisson sur les dalles,
Cependant que du bruit funèbre des sandales
Monte un peu la rumeur chaste qui chante en elles.

Au séraphique éclat des austères prunelles
Répondent les flambeaux en des gammes modales ;
Parmi le froid du cloître elles vont solennelles,
Et leurs pas font des chants de velours sur les dalles.

Une des leurs retourne aux landes éternelles
Trouver enfin l'oubli du monde et des scandales ;
Vers sa couche de mort, au fond de leurs dédales,
C'est pourquoi, cette nuit, les nonnes fraternelles

Dans leur cloître longtemps ont marché solennelles.

La Bénédictine

Elle était au couvent depuis trois mois déjà,
Et le désir divin grandissait dans son être,
Lorsqu'un soir, se posant au bord de sa fenêtre,
Un bel oiseau bâtit son nid, puis s'y logea.

Ce fut là qu'il vécut longtemps et qu'il mangea.
Mais, comme elle sentait souvent l'ennui renaître,
La sœur lui mit au cou par caprice une lettre…
L'oiseau ne revint plus, elle s'en affligea.

La vieillesse neigeant sur la Bénédictine
Fit qu'elle rendit l'âme, une nuit argentine,
Les yeux levés au ciel par l'extase agrandis :

Or, comme elle y montait, au chant d'un chœur étrange,
Elle vit, demandant sa place en paradis,
L'oiseau qui remettait la lettre aux mains d'un Ange !

Petit Vitrail

Jésus à barbe blonde, aux yeux de saphir tendre,
Sourit dans un vitrail ancien du défunt chœur
Parmi le vol sacré des chérubins en chœur
Qui se penchent vers Lui pour l'aimer et l'entendre.
Des oiseaux de Sion aux claires ailes calmes
Sont là dans le soleil qui poudroie en délire,
Et c'est doux comme un vers de maître sur la lyre,
De voir ainsi, parmi l'arabesque des palmes,
Dans ce petit vitrail où le soir va descendre,
Sourire, en sa bonté mystique, au fond du chœur,
Le Christ à barbe d'or, aux yeux de saphir tendre.

Amour immaculé

Je sais en une église un vitrail merveilleux
Où quelque artiste illustre, inspiré des archanges,
A peint d'une façon mystique, en robe à franges,
Le front nimbé d'un astre, une Sainte aux yeux bleus.

Le soir, l'esprit hanté de rêves nébuleux
Et du céleste écho de récitals étranges,
Je m'en viens la prier sous les lueurs oranges
De la lune qui luit entre ses blonds cheveux.

Telle sur le vitrail de mon cœur je t'ai peinte,
Ma romanesque aimée, ô pâle et blonde sainte,
Toi, la seule que j'aime et toujours aimerai ;

Mais tu restes muette, impassible, et, trop fière,
Tu te plais à me voir, sombre et désespéré,
Errer dans mon amour comme en un cimetière !

Le Récital des Anges

Plein de spleen nostalgique et de rêves étranges,
Un soir, je m'en allai chez la Sainte adorée
Où se donnait, dans la salle de l'empyrée,
Pour la fête du ciel, le récital des anges.

Et nul ne s'opposant à cette libre entrée,
Je vins, le corps vêtu d'une tunique à franges,
Le soir où je m'en fus chez la Sainte adorée,
Plein de spleen nostalgique et de rêves étranges.

Des dames défilaient sous des clartés oranges ;
Les célestes laquais portaient haute livrée ;
Et ma demande étant par Cécile agréée,
J'écoutai le concert qu'aux divines phalanges

Elle donnait, là-haut, dans des rythmes étranges...

L'Organiste du Paradis

La belle sainte au fond des cieux
Mène l'orchestre archangélique,
Dans la lointaine basilique
Dont la splendeur hante mes yeux.

Depuis que la Vierge biblique
Lui légua ce poste pieux,
La belle Sainte au fond des cieux
Mène l'orchestre archangélique.

Loin du monde diabolique
Puissé-je, un soir mystérieux,
Ouïr dans les divins milieux
Ton clavecin mélancolique,

Ma belle Sainte, au fond des cieux.

Rêve d'une nuit d'hôpital

Cécile était en blanc, comme aux tableaux illustres
Où la Sainte se voit, un nimbe autour du chef.
Ils étaient au fauteuil Dieu, Marie et Joseph;
Et j'entendis cela debout près des balustres.

Soudain au flamboiement mystique des grands lustres,
Éclata l'harmonie étrange, au rythme bref,
Que la harpe brodait de sons en relief...
Musiques de la terre, ah! taisez vos voix rustres!...

Je ne veux plus pécher, je ne veux plus jouir,
Car la sainte m'a dit que pour encor l'ouïr,
Il me fallait vaquer à mon salut sur terre.

Et je veux retourner au prochain récital
Qu'elle me doit donner au pays planétaire,
Quand les anges m'auront sorti de l'hôpital.

Chapelle de la Morte

La chapelle ancienne est fermée,
Et je refoule à pas discrets
Les dalles sonnant les regrets
De toute une ère parfumée.

Et je t'évoque, ô bien-aimée !
Épris de mystiques attraits :
La chapelle assume les traits
De ton âme qu'elle a humée.

Ton corps fleurit dans l'autel seul,
Et la nef triste est le linceul
De gloire qui te vêt entière ;

Et dans le vitrail, tes grands yeux
M'illuminent ce cimetière
De doux cierges mystérieux.

Chapelle dans les bois

Nous étions là deux enfants blêmes
Devant les grands autels à franges,
Où Sainte Marie et ses anges
Riaient parmi les chrysanthèmes.

Le soir poudrait dans la nef vide ;
Et son rayon à flèche jaune,
Dans sa rigidité d'icône
Effleurait le grand Saint livide.

Nous étions là deux enfants tristes
Buvant la paix du sanctuaire,
Sous la veilleuse mortuaire
Aux vagues reflets d'améthystes.

Nos voix en extase à cette heure
Montaient en rogations blanches,
Comme un angélus des dimanches,
Dans le lointain, qui prie et pleure...

Puis nous partions... Je me rappelle !
Les bois dormaient au clair de lune,
Dans la nuit tiède où tintait une
Voix de la petite chapelle...

Chapelle ruinée

Et je retourne encor frileux, au jet des bruines,
Par les délabrements du parc d'octobre. Au bout
De l'allée où se voit ce grand Jésus debout,
Se massent des soupçons de chapelle en ruines.

Je refoule, parmi viornes, vipérines,
Rêveur, le sol d'antan où gîte le hibou ;
L'Érable sous le vent se tord comme un bambou,
Et je sens se briser mon cœur dans ma poitrine.

Cloches des âges morts sonnant à timbres noirs
Et les tristesses d'or, les mornes désespoirs,
Portés par un parfum que le rêve rappelle,

Ah ! comme, les genoux figés au vieux portail,
Je pleure ces débris de petite chapelle...
Au mur croulant, fleuri d'un reste de vitrail !

Petit Coin de cure

C'est qu'il a l'air pas mal, sous sa neuve soutane,
Ce cher petit abbé joufflu, rasé tout frais,
Pour qui les vins d'Espagne ont de si doux attraits…
Surtout quand le sommeil les suit sous le platane.

Midi sonne, l'azur dans un or chaud se tanne.
Messire l'abbé donc, ô scandaleux portraits !
S'est endormi tout rond, nez haut, songes abstraits,
Par l'exotique odeur des boudoirs de Sultane.

On vient de la cuisine… Et là sous le rideau,
Blanche pousse Michel, Louise, le bedeau,
Et tous de s'esquiver en éclatant de rire.

Tandis que Sieur Curé n'ayant cure de rien
S'étire en murmurant sous un papal sourire
Que Bacchus après tout était un bon chrétien !

Rondel à ma pipe

Les pieds sur les chenets de fer,
Devant un bock, ma bonne pipe,
Selon notre amical principe,
Rêvons à deux, ce soir d'hiver.

Puisque le ciel me prend en grippe,
(N'ai-je pourtant assez souffert ?)
Les pieds sur les chenets de fer,
Devant un bock, rêvons, ma pipe.

Preste, la mort que j'anticipe
Va me tirer de cet enfer
Pour celui du vieux Lucifer.
Soit ! nous fumerons chez ce type,

Les pieds sur les chenets de fer.

La Cloche dans la brume

Écoutez, écoutez, ô ma pauvre âme ! Il pleure
Tout au loin dans la brume ! Une cloche ! Des sons
Gémissent sous le noir des nocturnes frissons,
Pendant qu'une tristesse immense nous effleure.

À quoi songez-vous donc ? à quoi pensez-vous tant ?...
Vous qui ne priez plus, ah ! serait-ce, pauvresse,
Que vous compareriez soudain votre détresse
À la cloche qui rêve aux angélus d'antan ?...

Comme elle vous geignez, funèbre et monotone,
Comme elle vous tintez dans les brouillards d'automne,
Plainte de quelque église exilée en la nuit,

Et qui regrette avec de sonores souffrances
Les fidèles quittant son enceinte qui luit,
Comme vous regrettez l'exil des Espérances.

Rêve d'Art

«Intermezzo» [1899]

«Pastels et porcelaines»

Fantaisie créole

Or, la pourpre vêt la véranda rose
Au motif câlin d'une mandoline,
En des sangs de soir, aux encens de rose,
Or, la pourpre vêt la véranda rose.

Parmi les eaux d'or des vases d'Égypte,
Se fanent en bleu, sous des zéphirs tristes,
Des plants odorants qui trouvent leur crypte
Parmi les eaux d'or des vases d'Égypte.

La musique embaume et l'oiseau s'en grise ;
Les cieux ont mené leurs valses astrales ;
La Tendresse passe aux bras de la brise ;
La musique embaume, et l'âme s'en grise.

Et la pourpre vêt la véranda rose,
Et dans l'Éden d'or de sa Louisiane,
Parmi le silence, aux encens de rose,
La créole dort en un hamac rose.

Les Balsamines

pour François Coppée

En un fauteuil sculpté de son salon ducal,
La noble Viennoise, en gaze violette,
De ses doigts ivoirins pieusement feuillette
Le vélin s'élimant d'un missel monacal.

Et sa mémoire évoque, en rêve musical,
Ce pauvre guitariste aux yeux où se reflète
Le pur amour de l'art, qui, près de sa tablette,
Venait causer, humant des fleurs dans un bocal.

La lampe au soir vacille et le vieux Saxe sonne ;
Son livre d'heure épars, Madame qui frissonne
Regagne le grand lit d'argent digne des rois.

Des pleurs mouillent ses cils… Au fier blason des portes
Quand l'aube eut reflambé, sur le tapis hongrois
Le missel révélait des balsamines mortes…

Les Camélias roses

Dans le boudoir tendu de choses de Malines,
Tout est désert ce soir, Émilynne est au bal.

Seuls, de beaux plants de fleurs en un glauque bocal
Vont clore peu à peu leurs prunelles câlines.

Sur des onyx épars, des bijoux et des bagues
Croisent leurs reflets maints dans des boîtes d'argent.

Le perroquet digère un long spleen enrageant.
Tout pleure cette absente avec des plaintes vagues.

Le Saxe tinte… Il est aube. Sur l'escalier
Chante un pas satiné dans le frisson des gazes.

Tout s'éveille alourdi des nocturnes extases.
La maîtresse s'annonce au toc toc du soulier.

Sa main effeuille, lente, un frais bouquet de roses ;
Ses regards sont voilés d'une aurore de pleurs.

Au bal elle a connu les premières douleurs,
Et sa jeunesse songe au vide affreux des choses,

Devant la sèche mort des Camélias roses.

Le Saxe de famille

Donc, ta voix de bronze est éteinte :
Te voilà muet à jamais !
L'heure plus ne vibre ou ne tinte
Dans la grand' salle que j'aimais,

Où je venais, après l'étude,
Fumer le soir, rythmant des vers,
Où l'abri du monde pervers
Éternisait ma solitude.

Sur le buffet aux tons noircis
De chêne très ancien, ton ombre
Lamente-t-elle, Saxe sombre,
Toute une époque de soucis ?

Serait-ce qu'un chagrin qui tue
T'a harcelé comme un remords,
Ô grande horloge qui t'es tue
Depuis que les parents sont morts ?

Éventail

Dans le salon ancien à guipure fanée
Où fleurit le brocart des sophas de Niphon,
Tout peint de grands lys d'or, ce glorieux chiffon
Survit aux bals défunts des dames de lignée.

Mais, ô deuil triomphal ! l'autruche surannée
S'effrange sous les pieds de bronze d'un griffon,
Dans le salon ancien à guipure fanée
Où fleurit le brocart des sophas de Niphon.

Parfois, quand l'heure vibre en sa ronde effrénée,
L'éventail tout à coup revit un vieux frisson,
Tellement qu'on croirait qu'il évente au soupçon
Des doigts mystérieux d'une morte émanée,

Dans le salon ancien à guipure fanée.

Sculpteur sur marbre

Au fond de l'atelier, titanique sculpture,
Se dresse une statue au piédestal marbré,
Et l'aube rose imprime un reflet empourpré
À travers le vitrail sur sa noble stature ;

Oh ! qu'il fallut de nuits, l'esprit à la torture,
De labeur pour atteindre un semblable degré !
En un grand tourbillon, le visage effaré,
Se voit l'allégorie emportant sa capture ;

Votre cœur est saisi du souffle génial,
Qui frissonne le long de ce corps colossal :
Le Faucheur éternel toujours stable à son œuvre.

Un Bacchus gît par terre, et chaque visiteur
Peut voir, les bras en croix, le sublime sculpteur
Mort aux pieds de la Mort, son dernier grand
[chef-d'œuvre.

Le Chef-d'œuvre posthume*

Au fond de l'atelier, *se dresse une sculpture*
Dont les grands reins de marbre ont le geste cambré.
L'aube a plaqué lugubre un rayon de son gré
Sur le buste, par la lucarne à la toiture.

Comme il fallut de nuits, *mettant l'art* à torture,
De labeur, pour atteindre *à ce pareil* degré !
En tourbillon *massif*, le visage effaré,
Se voit l'*Allégorie* emportant sa capture.

Et l'on se sent saisi *de cette majesté,*
Ce Michel-Angélique effort qu'il a sculpté :
La Faucheuse éternelle et stoïque à son œuvre.

Mais aussi tous les yeux s'imprègnent de moiteur,
À la rigidité macabre du sculpteur
Mort aux pieds de la Mort son *posthume* chef-d'œuvre.

---

* Les passages en italique signalent des variantes par rapport à la version antécédente du même poème intitulé « Sculpteur sur marbre ».

Noël de vieil artiste

La bise geint, la porte bat,
Un Ange emporte sa capture.
Noël, sur la pauvre toiture,
Comme un *De Profundis*, s'abat.

L'artiste est mort en plein combat,
Les yeux rivés à sa sculpture.
La bise geint, la porte bat,
Un Ange emporte sa capture.

Ô Paradis ! puisqu'il tomba,
Tu pris pitié de sa torture.
Qu'il dorme en bonne couverture,
Il eut si froid sur son grabat !

La bise geint, la porte bat…

Mon sabot de Noël

I

Jésus descend, marmots, chez vous,
Les mains pleines de gais joujoux.

Mettez tous, en cette journée,
Un bas neuf dans la cheminée.

Et soyez bons, ne pleurez pas…
Chut ! voici que viennent ses pas.

Il a poussé la grande porte,
Il entre avec ce qu'Il apporte…

Soyez heureux, ô chérubins !
Chefs de Corrège ou de Rubens…

Et dormez bien parmi vos langes,
Ou vous ferez mourir les anges.

Dormez, jusqu'aux gais carillons
Sonnant l'heure des réveillons.

II

Pour nous, fils errants de Bohème,
Ah ! que l'Ennui fait Noël blême !

Jésus ne descend plus pour nous,
Nous avons trop eu de joujoux.

Mais c'est mainte affre nouveau-née
Dans l'infernale cheminée.

Nous avons tant de désespoir
Que notre sabot en est noir.

Les meurt-de-faim et les artistes
N'ont pour tout bien que leurs cœurs tristes.

L'ultimo Angelo del Corregio

Pour Madame W. Hately

Les yeux hagards, la joue pâlie,
Mais le cœur ferme et sans regret,
Dans sa mansarde d'Italie
Le divin Corrège expirait.

Autour de l'atroce grabat,
La bonne famille du maître
Cherche un peu de sa vie à mettre
Dans son cœur à peine qui bat.

Mais la vision cérébrale
Fomente la fièvre du corps,
Et son âme qu'agite un râle,
Sonne de bizarres accords.

Il veut peindre. Très lentement
De l'oreiller il se soulève,
Simulant quelque archange en rêve
En oubli du Ciel un moment.

Son œil fouille la chambre toute,
Et soudain se fixe, étonné.
Il voit son modèle, il n'a doute,
Dans le berceau du dernier-né.

Son jeune enfant près du panneau,
Tout rose, dans le linge orange,

A joint ses petites mains d'ange
Vers le cadre du Bambino.

Et sa filiale prière
À celle de l'Éden fait lien :
Dans du soir d'or italien,
Vision de blanche lumière.

« Vite qu'on m'apporte un pinceau !
« Mes couleurs ! crie le vieil artiste,
« Je veux peindre la pose triste
« De mon enfant dans son berceau.

« Mon pinceau ! délire Corrège,
« Je veux saisir en son essor
« Ce sublime idéal de neige
« Avant qu'il retourne au ciel d'or ! »

Comme il peint ! Comme sur la toile
Le génie coule à flot profond !
C'est un chérubin au chef blond,
En chemise couleur d'étoile.

Mais le peintre, pris tout à coup
D'un hoquet, retombe. Il expire,
Tandis que la sueur au cou
S'est figée en perles de cire.

Ainsi mourut l'artiste étrange
Dont le cœur d'idéal fut plein ;
Qui fit de son enfant un ange,
Avant d'en faire un orphelin.

Fra Angelico

à Madame W.Y. Hately

Le moine Angelico travaillait dès matines
Au rêve de ses jours en gloire épanoui,
Voulant peindre la Vierge et la peindre telle, oui,
Qu'elle ne le fut pas aux toiles florentines.

C'est pourquoi le prieur lors des vêpres latines
L'a vu souvent rêver dans la nef, ébloui.
Le moine Angelico travaillait dès matines
Au rêve de ses jours en gloire épanoui.

Or un soir que sonnaient les cloches argentines,
Dans sa cellule on vit l'artiste évanoui ;
Sous sa robe il tenait le chef-d'œuvre enfoui
Qu'un Ange déroba des célestes Sixtines

Pour son Frère toujours à l'œuvre dès matines.

Sur un portrait de Dante I

Que ton visage est triste et ton front amaigri.

Auguste BARBIER

C'est bien lui, ce visage au sourire inconnu,
Ce front noirci au hâle infernal de l'abîme,
Cet œil où nage encor la vision sublime :
Le Dante incomparable et l'Homme méconnu.

Ton âme herculéenne, on s'en est souvenu,
Loin des fourbes jaloux du sort de leur victime,
Sur les monts éternels où tu touchas la cime
A dû trouver la paix, ô Poète ingénu.

Sublime Alighieri, gardien des cimetières !
Le blason glorieux de tes œuvres altières,
Au mur des Temps flamboie ineffaçable et fier.

Et tu vivras, ô Dante, autant que Dieu lui-même,
Car les Cieux ont appris aussi bien que l'Enfer
À balbutier les chants de ton divin Poème.

Sur un portrait de Dante II*

C'est *lui, le pèlerin de l'ombre revenu,*
Au front noirci du hâle infernal de l'abîme,
À l'œil où *flotte* encor la vision sublime,
L'artiste incomparable et l'*homme* méconnu.

Loin des fourbes jaloux dont il fut la victime,
Après avoir montré leur âme immonde à nu,
Des monts olympiens il a touché la cime
Et retrouvé la paix *de son rêve* ingénu.

Ô Dante Alighieri, gardien des cimetières !
Le blason glorieux de tes œuvres altières
Au mur *des sages brille*, ineffaçable et fier !

Et tu vivras *aussi longtemps* que Dieu lui-même,
Car *le Ciel éternel et l'éternel* Enfer
Ont appris les accents de ton *ardent poème.*

---

* Les passages en italique signalent des variantes par rapport à la version antécédente (I) du même poème.

À Georges Rodenbach

Blanc, blanc, tout blanc, ô Cygne ouvrant tes ailes pâles,
Tu prends l'essor devers l'Éden te réclamant,
Du sein des brouillards gris de ton pays flamand
Et des mortes cités, dont tu pleuras les râles.

Bruges, où vont là-bas ces veuves aux noirs châles ?
Par tes cloches soit dit ton deuil au firmament !
Le long de tes canaux mélancoliquement
Les glas volent, corbeaux d'airain dans l'air sans hâles.

Et cependant l'Azur rayonne vers le Nord
Et c'est comme on dirait une lumière d'or,
Ô Flandre ! éblouissant tes funèbres prunelles.

Béguines qui priez aux offices du soir,
Contemplez par les yeux levés de l'Ostensoir
Le Mystique, l'Élu des aubes éternelles !

L'Antiquaire

Entre ses doigts osseux roulant une ample bague,
L'antiquaire, vieux Juif d'Alger ou de Maroc,
Orfèvre, bijoutier, damasquineur d'estoc,
Au fond de la boutique erre, pause et divague.

Puis, des lampes de fer que frôle l'ombre vague
S'approchant tout fiévreux, le moderne Shylock
Recule, horrifié. Rigide comme un bloc
Il semble au cœur souffrir de balafres de dague.

Malheur ! Ce vieil artiste a trop tard constaté
Que l'anneau Louis XIV à fou prix acheté
N'est qu'un bibelot vil où rit l'infâme fraude.

C'est pourquoi, sous le flot des lustres miroitants,
L'horrible et fauve jet de son œil filtre et rôde
Dans la morne pourpreur des rubis éclatants.

VIEILLE ROMANESQUE

Près de ses pots de fleurs, à l'abri des frimas,
Assise à la fenêtre, et serrant autour d'elle
Son châle japonais, Mademoiselle Adèle
Comme à vingt ans savoure un roman de Dumas.

Tout son boudoir divague en bizarre ramas,
Cloître d'anciennetés, dont elle est le modèle;
Là s'inscrusta l'émail de son culte fidèle:
Vases, onyx, portraits, livres de tous formats.

Sur les coussins épars, un mieux matou de Perse
Ronronne cependant que la vieille disperse
Aux feuillets jaunissants les ennuis de son cœur.

Mais elle ne voit pas, en son rêve attendrie,
Dans la rue, un passant au visage moqueur...
Le joueur glorieux d'orgue de Barbarie!

Vieille Armoire

Dors, fouillis vénéré de vieilles porcelaines
Froides comme des yeux de morts, tout clos, tout froids,
Services du Japon qui disent l'autrefois
De maints riches repas de belles châtelaines !

Ton bois a des odeurs moites d'anciennes laines,
Parfums de choses d'or aux fragiles effrois ;
Tes tasses ont causé sur des lèvres de rois
De leurs Hébés, de leurs images peintes, pleines

De pastels lumineux, de vieux jardins fleuris,
Arabesque où le ciel avait de bleus souris...
Reliquaire d'antan, ô grande, ô sombre armoire !

Hier, quand j'entr'ouvris tes portes de bois blond,
Je crus y voir passer la spectrale mémoire
De couples indistincts menés au réveillon.

Le Roi du souper

Grave en habit luisant, un vieux nègre courbé,
Va, vient de tous côtés à pas vifs d'estafette :
Le paon truffé qui fume envoie une bouffette
Du clair plateau d'argent jusqu'au plafond bombé.

Le triomphal service, au buffet dérobé,
Flambe. Toute la salle en lueur d'or s'est faite ;
À la table massive ils sont là pour la fête,
Tous, depuis le grand-oncle au plus petit bébé.

Soudain, la joie éclate et trille, franche et belle :
Le dernier-né se pose, en robe mirabelle,
Sur la nappe de Chine où fleurit maint détail.

On applaudit. Sambo pâmé s'en tient les hanches,
Cependant que, voilant son chef sous l'éventail,
Grand-mère essuie un peu ses deux paupières blanches.

Potiche

C'est un vase d'Égypte à riche ciselure,
Où sont peints des sphinx bleus et des lions ambrés :
De profil on y voit, souple, les reins cambrés,
Une immobile Isis tordant sa chevelure.

Flambantes, des nefs d'or se glissent sans voilure
Sur une eau d'argent plane aux tons de ciel marbrés :
C'est un vase d'Égypte à riche ciselure
Où sont peints des sphinx bleus et des lions ambrés.

Mon âme est un potiche où pleurent, dédorés,
De vieux espoirs mal peints sur sa fausse moulure ;
Aussi j'en souffre en moi comme d'une brûlure,
Mais le trépas bientôt les aura tous sabrés...

Car ma vie est un vase à pauvre ciselure.

Vespérales funèbres

« Eaux-fortes funéraires »

Prélude triste

Je vous ouvrais mon cœur comme une basilique;
Vos mains y balançaient jadis leurs encensoirs
Aux jours où je vêtais des chasubles d'espoirs,
Jouant près de ma mère en ma chambre angélique.

Maintenant oh! combien je suis mélancolique
Et comme les ennuis m'ont fait des joujoux noirs!
Je m'en vais sans personne et j'erre dans les soirs
Et les jours, on m'a dit: Va. Je vais sans réplique.

J'ai la douceur, j'ai la tristesse et je suis seul
Et le monde est pour moi quelque immense linceul
Funéraire où soudain par des causes étranges

Je surgirai mal mort dans un vertige fou
Pour murmurer tout bas des musiques aux Anges
Afin de retourner et mourir dans mon trou.

Ruines

Quelquefois je suis plein de grandes voix anciennes,
Et je revis un peu l'enfance en la villa;
Je me retrouve encore avec ce qui fut là
Quand le soir nous jetait de l'or par les persiennes.

Et dans mon âme alors soudain je vois groupées
Mes sœurs à cheveux blonds jouant près des vieux feux;
Autour d'elles le chat rôde, le dos frileux,
Les regardant vêtir, étonné, leurs poupées.

Ah! la sérénité des jours à jamais beaux
Dont sont morts à jamais les radieux flambeaux,
Qui ne brilleront plus qu'en flammes chimériques:

Puisque tout est défunt, enclos dans le cercueil,
Puisque, sous les outils des noirs maçons du Deuil,
S'écroulent nos bonheurs comme des murs de briques!

La Belle Morte

Ah ! la belle morte ! elle repose.
En Éden blanc un ange la pose.

Elle sommeille emmi les pervenches
Comme en une chapelle aux dimanches.

Ses cheveux sont couleur de la cendre ;
Son cercueil on vient de le descendre.

Et ses beaux yeux verts que la mort fausse
Feront un clair de lune en sa fosse.

Le Soulier de la Morte

Ce frêle soulier gris et or,
Aux boucles de soie embaumée,
Tel un mystérieux camée,
Entre mes mains, ce soir, il dort.

Tout à l'heure je le trouvai
Gisant au fond d'une commode...
Petit soulier d'ancienne mode,
Soulier du souvenir... Ave !

Depuis qu'elle s'en est allée,
Menée aux marches de Chopin,
Dormir pour jamais sous ce pin
Dans la froide et funèbre allée,

Je suis resté toute l'année
Broyé sous un fardeau de fer,
À vivre ainsi qu'en un enfer,
Comme une pauvre âme damnée.

Et maintenant, cœur plein de noir,
Cette vigile de décembre,
Je le trouve au fond de ma chambre,
Soulier que son pied laissa choir.

Celui-là seul me fut laissé,
L'autre est sans doute chez les anges...
. . . .
Et moi je cours pieds nus les fanges...
Mon âme est un soulier percé.

LE MISSEL DE LA MORTE

Ce missel d'ivoire
Que tu m'as donné,
C'est au lys fané
Qu'est sa page noire.

Ô legs émané
De pure mémoire,
Quand tu m'as donné
Ce missel d'ivoire !

Tout l'antan de gloire
En lui, suranné,
Survit interné.
Quel lacrymatoire,

Ce missel d'ivoire !

Les Vieilles Rues

Que vous disent les vieilles rues
    Des vieilles cités ?...
Parmi les poussières accrues
    De leurs vétustés,
Rêvant de choses disparues,
Que vous disent les vieilles rues ?

Alors que vous y marchez tard
    Pour leur rendre hommage :
— « De plus d'une âme de vieillard
    « Nous sommes l'image »,
Disent-elles dans le brouillard,
Alors que vous y marchez tard.

« Comme d'anciens passants nocturnes
    « Qui longent nos murs,
« En eux ayant les noires urnes
    « De leurs airs impurs,
« S'en vont les Remords taciturnes
« Comme d'anciens passants nocturnes. »

Voilà ce que dans les cités
    Maintes vieilles rues
Disent parmi les vétustés
    Des choses accrues
Parmi vos gloires disparues,
Ô mornes et mortes cités !

Le Crêpe

Combien j'eus de tristesse en moi ce soir, pendant
Que j'errais à travers le calme noir des rues,
Éludant les clameurs et les foules accrues,
À voir sur une porte un grand crêpe pendant.

Aussi, devant le seuil du défunt résidant,
Combien j'eus vision des luttes disparues
Et des méchancetés dures, sordides, crues,
Que le monde à ses pas s'en allait épandant.

Bon ou mauvais passant, qui que tu sois, mon frère !
Si jamais tu perçois l'emblème funéraire,
Découvre-toi le chef aussitôt de la main,

Et songe, en saluant la mort qui nous recèpe,
Que chaque heure en ta vie est un fil pour ce crêpe
Qu'à ta porte peut-être on posera demain.

Le Cercueil

Au jour où mon aïeul fut pris de léthargie,
Par mégarde on avait apporté son cercueil;
Déjà l'étui des morts s'ouvrait pour son accueil,
Quand son âme soudain ralluma sa bougie.

Et nos âmes, depuis cet horrible moment,
Gardaient de ce cercueil de grandes terreurs sourdes;
Nous croyions voir l'aïeul au fond des fosses lourdes,
Hagard, et se mangeant dans l'ombre éperdument.

Aussi quand l'un mourait, père ou frère atterré
Refusait sa dépouille à la boîte interdite,
Et ce cercueil, au fond d'une chambre maudite,
Solitaire et muet, plein d'ombre, est demeuré.

Il me fut défendu pendant longtemps de voir
Ou de porter les mains à l'objet qui me hante...
Mais depuis, sombre errant de la forêt méchante
Où chaque homme est un tronc, marquant mon souci
[noir,

J'ai grandi dans le goût bizarre du tombeau,
Plein du dédain de l'homme et des bruits de la terre,
Tel un grand cygne noir qui s'éprend de mystère,
Et vit à la clarté du lunaire flambeau.

Et j'ai voulu revoir, cette nuit, le cercueil
Qui me troubla jusqu'en ma plus ancienne année;
Assaillant d'une clé sa porte surannée,
J'ai pénétré sans peur en la chambre de deuil.

Et là, longtemps je suis resté, le regard fou,
Lontemps, devant l'horreur macabre de la boîte;
Et j'ai senti glisser sur ma figure moite
Le frisson familier d'une bête à son trou.

Et je me suis penché pour l'ouvrir, sans remord
Baisant son front de chêne ainsi qu'un front de frère,
Et, mordu d'un désir joyeux et funéraire,
Espérant que le ciel m'y ferait tomber mort.

Le Corbillard

Par des temps de brouillard, de vent froid et de pluie,
Quand l'azur a vêtu comme un manteau de suie,
Fête des anges noirs ! dans l'après-midi, tard,
Comme il est douloureux de voir un corbillard,
Traîné par des chevaux funèbres, en automne,
S'en aller cahotant au chemin monotone,
Là-bas vers quelque gris cimetière perdu,
Qui lui-même comme un grand mort gît étendu !
L'on salue, et l'on est pensif au son des cloches
Élégiaquement dénonçant les approches
D'un après-midi tel aux rêves du trépas.
Alors nous croyons voir, ralentissant le pas,
À travers des jardins rouillés de feuilles mortes,
Pendant que le vent tord des crêpes à nos portes,
Sortir de nos maisons, comme des cœurs en deuil,
Notre propre cadavre enclos dans le cercueil.

Le Perroquet

Aux jours de sa vieille détresse
Elle avait, la pauvre négresse,
Gardé cet oiseau d'allégresse.

Ils habitaient, au coin hideux,
Un de ces réduits hasardeux,
Au faubourg lointain, tous les deux.

Lui, comme jadis à la foire,
Il jacassait les jours de gloire
Perché sur son épaule noire.

La vieille écoutait follement,
Croyant que par l'oiseau charmant
Causait l'âme de son amant.

Car le poète chimérique,
Avec une verve ironique
À la crédule enfant d'Afrique

Avait conté qu'il s'en irait,
À son trépas, vivre en secret
Chez l'âme de son perroquet.

C'est pourquoi la vieille au front chauve,
À l'heure où la clarté se sauve,
Interrogeait l'oiseau, l'œil fauve.

Mais lui riait, criant toujours,
Du matin au soir tous les jours :
« Ha ! Ha ! Ha ! Gula, mes amours ! »

Elle en mourut dans un cri rauque,
Croyant que sous le soliloque
Inconscient du bavard glauque,

L'amant défunt voulait, moqueur,
Railler l'amour de son vieux cœur.
Elle en mourut dans la rancœur.

L'oiseau pleura ses funérailles,
Puis se fit un nid de pierrailles
En des ruines de murailles.

Mais il devint comme hanté ;
Et quand la nuit avait chanté
Au clair du ciel diamanté,

On eût dit, à voir sa détresse,
Qu'en lui pleurait, dans sa tendresse,
L'âme de la pauvre négresse.

Le Tombeau de la Négresse

Alors que nous eût fui le grand vent des hivers,
Aux derniers ciels pâlis de mars, nous la menâmes
Dans le hallier funèbre aux odeurs de cinnames,
Où germaient les soupçons de nouveaux plants rouverts.

De hauts rameaux étaient criblés d'oiseaux divers
Et de tristes soupirs gonflaient leurs jeunes âmes.
Au limon moite et brut où nous la retournâmes,
Que l'Africaine dorme en paix dans les mois verts !

Le sol pieusement recouvrira ses planches ;
Et le bon bengali, dans son château de branches,
Pleurera sur maint thème un peu de ses vingt ans.

Peut-être, revenus en un lointain printemps,
Verrons-nous, de son cœur, dans les buissons latents,
Éclore un grand lys noir entre des roses blanches.

Le Tombeau de Chopin

Dors loin des faux baisers de la Floriani,
Ô pâle consomptif, dans les lauriers de France !
Un peu de sol natal partage ta souffrance,
Le sol des palatins, dont tu t'étais muni.

Quand tu nous vins, Chopin, plein de rêve infini,
Sur ton maigre profil fleurissait l'espérance
De faire pour ton art ce que fit à Florence
Maint peintre italien pour l'âge rajeuni.

Comme un lys funéraire, au vase de la gloire
Tu te penchas, jeune homme, et ne sachant plus boire,
Le clavecin sonna ta marche du tombeau !

Dors Chopin ! Que la verte inflexion du saule
Ombrage ton sommeil mélancolique et beau,
Enfant de la Pologne au bras d'or de la Gaule !

Le Tombeau de Charles Baudelaire

Je rêve un tombeau épouvantable et lunaire
Situé par les cieux, sans âme et mouvement,
Où le monde prierait et longtemps luminaire
Glorifierait, mythe ou gnome, sublimement.

Se trouve-t-il bâti colloquialement
Quelque part dans Ilion ou par le planisthère ?
Le guenillou dirait un elfe au firmament,
Farfadet assurant le reste, Planétaire !

Ô chantre inespéré des pays du soleil,
Le tombeau glorieux de son vers sans pareil
Soit un excerpt tombal, ô Charles Baudelaire.

Je m'incline en passant devant lui pieusement,
Rêvant, pour l'adorer, un violon polaire
Qui musicât ses vers, et perpétuellement.

. . . .

*Ô cygne** inespéré des pays du soleil,
Que l'excerpteur glorieux de *ton tombeau vermeil*
Soit *maigre et pâle stèle*, ô Charles Baudelaire.

Je m'incline en passant devant toi pieusement,
Rêvant pour *t*'adorer un violon *lunaire*
Qui musicât *t*es vers et *iatoulalant.*

---

* Les passages en italique des deux derniers tercets (v. 15-19) signalent des variantes par rapport à la version des deux tercets précédents (v. 9-14).

Marches funèbres

J'écoute en moi des voix funèbres
Clamer transcendantalement,
Quand sur un motif allemand
Se rythment ces marches célèbres.

Au frisson fou de mes vertèbres
Si je sanglote éperdument,
C'est que j'entends des voix funèbres
Clamer transcendantalement.

Tel un troupeau spectral de zèbres
Mon rêve rôde étrangement;
Et je suis hanté tellement
Qu'en moi toujours, dans mes ténèbres,

J'entends geindre des voix funèbres.

Soirs de Névrose

« Vêpres tragiques »

Le Lac

Remémore, mon cœur, devant l'onde qui fuit
De ce lac solennel, sous l'or de la vesprée,
Ce couple malheureux dont la barque éplorée
Y vint sombrer avec leur amour, une nuit.

Comme tout alentour se tourmente et sanglote !
Le vent verse les pleurs des astres aux roseaux,
Le lys s'y mire ainsi que l'azur plein d'oiseaux,
Comme pour y chercher une image qui flotte.

Mais rien n'en a surgi depuis le soir fatal
Où les amants sont morts enlaçant leurs deux vies,
Et les eaux en silence aux grèves d'or suivies
Disent qu'ils dorment bien sous leur calme cristal.

Ainsi la vie humaine est un grand lac qui dort
Plein sous le masque froid des ondes déployées,
De blonds rêves déçus, d'illusions noyées,
Où l'Espoir vainement mire ses astres d'or.

Paysage fauve

Les arbres comme autant de vieillards rachitiques,
Flanqués vers l'horizon sur les escarpements,
Tordent de désespoir leurs torses fantastiques,
Ainsi que des damnés sous le fouet des tourments.

C'est l'Hiver ; c'est la Mort ; sur les neiges arctiques,
Vers le bûcher qui flambe aux lointains campements,
Les chasseurs vont fouettant leurs chevaux athlétiques
Et galopent, frileux, sous leurs lourds vêtements.

La bise hurle ; il grêle ; il fait nuit, tout est sombre ;
Et voici que soudain se dessine dans l'ombre
Un farouche troupeau de grands loups affamés ;

Ils bondissent, essaims de fauves multitudes,
Et la brutale horreur de leurs yeux enflammés
Allume de points d'or les blanches solitudes.

Le Puits hanté

Dans le puits noir que tu vois là
Gît la source de tout ce drame.
Au vent du soir le cerf qui brame
Parmi les bois conte cela.

Jadis un prêtre fou, voilà,
Y fut noyé par une femme.
Dans le puits noir que tu vois là
Gît la source de tout ce drame.

Pstt ! N'y viens pas ! On voit l'éclat
Mystérieux d'un spectre en flamme,
Et l'on entend, la nuit, une âme
Râler comme en affreux gala,

Dans le puits noir que tu vois là.

L'Idiote aux cloches

I

Elle a voulu trouver les cloches
Du Jeudi-Saint sur les chemins ;
Elle a saigné ses pieds aux roches
À les chercher dans les soirs maints,
    Ah ! lon lan laire,
Elle a meurtri ses pieds aux roches ;
On lui disait : « Fouille tes poches. »
— « Nenni, sont vers les cieux romains :
    Je veux trouver les cloches, cloches,
Je veux trouver les cloches
Et je les aurai dans mes mains. »
Ah ! lon lan laire et lon lan la.

II

Or vers les heures vespérales
Elle allait, solitaire, aux bois.
Elle rêvait des cathédrales
Et des cloches dès de longs mois ;
    Ah ! lon lan laire,
Elle rêvait des cathédrales,
Puis tout à coup, en de fous râles
S'élevait tout au loin sa voix :
« Je veux trouver les cloches, cloches,
    Je veux trouver les cloches
Et je les aurai dans mes mains. »
Ah ! lon lan laire et lon lan la.

III

Une aube triste, aux routes croches,
On la trouva dans un fossé.
Dans la nuit du retour des cloches
L'idiote avait trépassé ;
 Ah ! lon lan laire,
Dans la nuit du retour des cloches,
À leurs métalliques approches,
Son rêve d'or fut exaucé :
Un ange mit les cloches, cloches,
 Lui mit toutes les cloches,
Là-haut, lui mit toutes aux mains.
Ah ! lon lan laire et lon lan la.

L'Homme aux cercueils

Maître Christian Loftel n'a d'état que celui
De faire des cercueils pour les mortels ses frères,
Au fond d'une boutique aux placards funéraires
Où depuis quarante ans le jour à peine a lui.

À cause de son air étrange, nul vers lui
Ne vient : il a le froid des urnes cinéraires.
Parfois, quelque homme en deuil discute des parères
Et retourne, hanté de ce spectre d'ennui.

Ô sage, qui toujours gardes tes lèvres closes,
Maître Christian Loftel ! tu dois savoir des choses
Qui t'ont creusé le front et t'ont joint les sourcils.

Réponds ! Quand tu construis les planches péremptoires,
Combien d'âmes de morts, au choc de tes outils
Te content longuement leurs posthumes histoires ?

Le Suicide d'Angel Valdor

à Wilfrid Larose

I

Le vieil Angel Valdor épousait dans la nef,
En Avril, sa promise aux yeux noirs, au blond chef.

Le soleil harcelait de flèches empourprées
Le vitrail, ce miroir des Anges aux Vesprées.

Et, partout, l'on disait en les voyant ainsi
S'en aller triomphants, qu'ils vivaient sans souci,

Que leur maison serait comme un temple au dimanche,
L'amour officiant dans sa chasuble blanche.

Le sonneur, en Avril, épousait dans la nef
Sa jeune fiancée aux yeux noirs, au blond chef.

II

Il eut pendant longtemps le cœur libre et joyeux
Et les roses d'hymen printanisaient ses yeux.

Il vécut des baisers trop menteurs d'une femme
Jusqu'aux jours où son cœur se prit de doute infâme.

Il demandait du ciel plus d'un gars à l'œil brun
Qui le remplacerait quand il serait défunt,

Et ferait bourdonner du haut de leurs tours grandes
Les cloches qu'il sonnait comme nul dans les landes.

Il eut quand vint le Mai le cœur libre et joyeux
Et les roses d'hymen printanisaient ses yeux.

III

Mais en Juin, le sonneur devint sombre soudain.
Au soir il s'en allait souvent dans son jardin,

Pensif, se promenant plein de peine et de doute...
On eût dit son convoi d'amour longeant la route.

Il confiait à l'astre un peu de tout son mal
Plus noir que l'envol noir du corbeau vespéral.

Les soucis, la douleur terrassaient son courage,
Il se sentait gonfler de sourde et lente rage.

En Juin ce fut pourquoi, comme cela soudain
Il descendait au soir tout seul dans son jardin.

IV

Le sonneur en Octobre eut son amour fané
Et s'en alla l'œil fou comme un halluciné.

Son épouse adultère ah ! la folle hirondelle !
Avait fui jà son âtre, au serment infidèle,

Encercueillant l'amour du vieil Angel Valdor
Qui marchait dans la vie avec un grand cœur mort,

Lui laissant la maison silencieuse et vide
Pour les bouges lointains de la ville livide.

À l'Octobre funèbre il eut l'amour fané
Et les macabres pas d'un pauvre halluciné.

V

Après avoir sonné l'Angélus quelque soir,
Valdor prit l'escalier qui mène au clocher noir.

Du bruit de ses sabots l'écho se fit des râles
Rauques parmi les tours sous les étoiles pâles.

La basilique avait senti frémir ses flancs
Et ses vitraux étaient comme des yeux sanglants,

Et les portes grinçant sur leurs gonds de ferrailles
Avaient comme un soupçon du glas des funérailles.

Il sonna trois accords brusquement par ce soir
Où le sonneur monta dans l'affreux clocher noir.

VI

Et Novembre est tombé dans les affligements !...
Voici le roman noir que je pleure aux amants...

L'archevêque au matin montant aux tours maudites
Y resta longuement, les forces interdites,

Devant le corps pendant aux câbles du beffroi,
Devant le corps crispé du pauvre sonneur froid.

Le prêtre prononça des oraisons étranges
Pour cette âme enroulée aux doigts des Mauvais Anges,

Pour le sonneur et pour l'épouse au cœur de fer
Dont Valdor dit le glas aux cloches de l'Enfer.

Les Corbeaux

J'ai cru voir sur mon cœur un essaim de corbeaux
En pleine lande intime avec des vols funèbres,
De grands corbeaux venus de montagnes célèbres
Et qui passaient au clair de lune et de flambeaux.

Lugubrement, comme en cercle sur des tombeaux
Et flairant un régal de carcasses de zèbres,
Ils planaient au frisson glacé de mes vertèbres,
Agitant à leurs becs une chair en lambeaux.

Or, cette proie échue à ces démons des nuits
N'était autre que ma Vie en loque, aux ennuis
Vastes qui vont tournant sur elle ainsi toujours,

Déchirant à larges coups de bec, sans quartier,
Mon âme, une charogne éparse au champ des jours,
Que ces vieux corbeaux dévoreront en entier.

Les Chats

Aux becs de gaz éteints, la nuit, en la maison,
Ils prolongent souvent des plaintes éternelles ;
Et sans que nous puissions dans leurs glauques prunelles
En sonder la sinistre et mystique raison.

Parfois, leur dos aussi secoue un long frisson ;
Leur poil vif se hérisse à des jets d'étincelles
Vers les minuits affreux d'horloges solennelles
Qu'ils écoutent sonner de bizarre façon.

Le Chat fatal

Un soir que je fouillais maint tome
Y recherchant quelque symptôme
De morne idée, un chat fantôme
    Soudain sur moi sauta,
Sauta sur moi de façon telle
Que j'eus depuis en clientèle
Des spasmes d'angoisse immortelle
    Dont l'enfer me dota.

J'étais très sombre et j'étais ivre
Et je cherchais parmi ce livre
Ce qui ci-bas parfois délivre
    De nos âcres soucis.
Il me dit lors avec emphase
Que je cherchais la vaine phrase
Que j'étais fou comme l'extase
    Où je rêvais assis.

Je me levai dans mon encombre
Et j'étais ivre et j'étais sombre;
Lui vint danser au fond de l'ombre;
    Je brandissais mon cœur
Et je pleurais: démon funèbre,
Va-t'en, retourne en la ténèbre,
Mais lui, par sa mode célèbre,
    Faisait gros dos moqueur.

Ma jussion le fit tant rire,
Que j'en tombai pris de délire,

Et je tombai, mon cœur plein d'ire,
Sur le parquet roulant.
Le chat happa sa proie, alerte,
Mangea mon cœur, la gueule ouverte,
Puis s'en alla haut de ma perte,
Tout joyeux miaulant.

Il est depuis son vol antique
Resté cet hôte fantastique
Que je tuerais, si la panique
Ne m'atterrait vraiment ;
Il rejoindrait mes choses mortes
Si j'en avais mains assez fortes,
Ah ! mais je heurte en vain les portes
De mon massif tourment.

Pourtant, pourtant parfois je songe
Au pauvre cœur que sa dent ronge
Et rongera tant que mensonge
Engouffrera les jours,
Tant que la femme sera fausse.
Puisque ton soulier noir me chausse,
Ô vie, ouvre-moi donc la fosse
Que j'y danse à toujours !
Cette terreur du chat me brise ;
J'aurai bientôt la tête grise
Rien qu'à songer que son poil frise,
Frise mon corps glacé.
Et plein d'une crise émouvante
Les cheveux dressés d'épouvante
Je cours ma chambre qui s'évente
Des horreurs du passé.

Mortels, âmes glabres de bêtes,
Vous les aurez aussi ces fêtes,
Vous en perdrez les cœurs, les têtes,
Quand viendra l'hôte noir
Vous griffer tous comme à moi-même
Selon qu'il fit dans la nuit blême
Où je rimai l'étrange thème
Du chat du Désespoir !

Le Spectre

Il s'est assis aux soirs d'hiver
En mon fauteuil de velours vert
    Près de l'âtre,
Fumant dans ma pipe de plâtre,
Il s'est assis un spectre grand
Sous le lustre de fer mourant
Derrière mon funèbre écran.

Il a hanté mon noir taudis,
Et ses soliloques maudits
    De fantôme
L'ont empli d'étrange symptôme.
Me diras-tu ton nom navrant,
Spectre ? Réponds-moi cela franc,
Derrière le funèbre écran.

Quand je lui demandai son nom,
La voix grondant comme un canon,
    Le squelette
Crispant sa lèvre violette,
Debout et pointant le cadran,
Le hurla d'un cri pénétrant,
Derrière mon funèbre écran.

Je suis en tes affreuses nuits,
M'a dit le Spectre des Ennuis,
    Ton seul frère.
Viens contre mon sein funéraire,
Que je t'y presse en conquérant.

Certe à l'heure j'y cours, tyran,
Derrière mon funèbre écran.

Claquant des dents, féroce et fou,
Il a détaché de son cou
        Une écharpe,
De ses doigts d'os en fils de harpe,
Maigres, jaunes comme safran,
L'accrochant à mon cœur son cran,
Derrière le funèbre écran.

La Terrasse aux spectres

Alors que je revois la lugubre terrasse
Où d'un château hanté se hérissent les tours,
L'indescriptible peur des spectres d'anciens jours
Traverse tout mon être et soudain me terrasse.

C'est que mon œil aux soirs dantesquement embrasse
Quelque feu fantastique errant aux alentours,
Alors que je revois la lugubre terrasse
Où d'un château hanté se hérissent les tours.

Au bruit de la fanfare une infernale race
Revient y célébrer ses posthumes amours,
Dames et cavaliers aux funèbres atours
À diurne éclipsés sans vestige de trace,

Alors que je revois la lugubre terrasse.

Confession nocturne

Prêtre, je suis hanté, c'est la nuit dans la ville,
Mon âme est le donjon des mortels péchés noirs,
Il pleut une tristesse horrible aux promenoirs
Et personne ne vient de la plèbe servile.

Tout est calme et tout dort. La solitaire Ville
S'aggrave de l'horreur vaste des vieux manoirs.
Prêtre, je suis hanté, c'est la nuit dans la ville;
Mon âme est le donjon des mortels péchés noirs.

En le parc hivernal, sous la bise incivile,
Lucifer rôde et va raillant mes désespoirs
Très fous!... Le suicide aiguise ses coupoirs!
Pour se pendre, il fait bon sous cet arbre tranquille...
. . . .

Prêtre, priez pour moi, c'est la nuit dans la ville!...

Frère Alfus

I

Ce fut un homme chaste, humble, doux et savant
Que le vieux frère Alfus, le moine des légendes.
Il vivait à Olmütz dans un ancien couvent.

Il avait un renom de par beaucoup de landes;
Son esprit était plein d'un immense savoir
Car la Science lui fit ses insignes offrandes.

De tous bords l'on venait pour l'aimer et le voir;
Son chef s'était blanchi sous des frimas d'idées
Mais son penser restait sur un point sans pouvoir.

Parmi les grandes paix des retraites sondées,
Dès l'aube, tout rêveur il venait là souvent
Quand les herbes chantaient sous les primes ondées.

Il écoutait la source et l'oiseau, puis le vent,
Et comme en désespoir de solver le mystère
Il retournait pensif toujours vers son couvent.

On le vit se voûter comme l'arbre au parterre.
Peu à peu dans son âme une tempête entra
Car le Doute y grondait comme un rauque cratère.

Du glaive de l'orgueil l'humble foi s'éventra
Et le vieux moine allait portant sur ses épaules
Les douleurs que l'enfer sans doute y concentra.

Parfois, il se disait, marchant sous les hauts saules,
L'index contre la tempe et le missel au bras,
Dieu peut-être est chimère ainsi que vains nos rôles.

À quoi nous servirait ainsi jusqu'au trépas
De cambrer nos désirs sous les cilices chastes
Et vivre en pleine mort pour un Ciel qui n'est pas ?

Son cœur confabulait avec des voix néfastes,
Le ciel, l'arbre, l'oiseau, la terre étaient joyeux
Et le Moine était triste au fond de ces bois vastes.

II

La Voix dans la Vision

Or un jour qu'il allait doutant ainsi des cieux,
Doutant de l'infini, de leurs béatitudes,
Un Paradis lointain s'entr'ouvrit à ses yeux.

Et le front tout ridé par les doctes études
Contempla tout à coup ébloui, frémissant,
Une lande angélique aux roses solitudes.

Par un soir féerique un Archange puissant,
Fils de Dieu, descendu des célestes Sixtines,
Dans le rêve lui peint son pays ravissant.

Et c'est un paysage aux lunes argentines,
Tel qu'en rêva parfois le moine Angelico,
Dans la nef d'où montaient les oraisons latines.

Avec ses fleurs d'ivoire où rôde un siroco,
Tout cet Éden frémit d'étranges cantilènes,
Qu'aux cent ciels répercute une chanson d'écho.

Et le silence embaume au soupir des haleines
Et la grande paix choit ainsi qu'un baiser bleu
Vers le mystère où dort un essaim de fontaines.

Et l'air est sillonné d'étrangetés de feu
Et des vapeurs du ciel tombent comme en spirales
Autour du moine Alfus qui s'endort peu à peu.

Sous les mousses en fleurs les sources vespérales
Gazouillent. Frissonnant au frais de leur bocal
Roulent des scombres d'or sous les harpes astrales.

Et tout à coup éclate un timbre musical,
Une voix d'oiseau bleu berçant la somnolence
De ce moine égaré du sentier monacal.

Elle bruit sonore au loin dans le silence
Comme un reproche pur longuement modulé
Au doute confondu de l'humaine insolence.

Puis voici qu'elle approche avec un son moulé,
Elle s'enfle plongeant la voix dans son oreille,
Ainsi l'hymne éternel tout un siècle a roulé !

Puis sa large harmonie à de la mer pareille
Baisse dans le gosier céleste de l'oiseau
Et lente, elle lui parle au sein de la merveille :

« Alfus, mon fils Alfus, sous ce divin arceau
Je t'ai laissé dormir aux chants de mes orchestres,
Chants doux, plus doux que ceux de ta mère au
[berceau.

« Couché dans le repos des ramures sylvestres
Tu sommeillas brisé, plein d'un orgueil transi,
Dans la sérénité de ces exils terrestres.

« Retourne sur la Terre, un moment revis-y,
Ne fût-ce que pour mettre en désarroi le Doute.
Retourne enfin au monde, on ne meurt pas ici ! »

Puis Alfus s'éveillant voit sa Vision toute
Qui s'est close en chantant. Il est saisi d'effroi
Et le Soleil de l'Aube est là poudrant la route.

III

Retour au Monastère

« Comme tout a changé. Je trouve une paroi
Sur ce chemin qu'hier je parcourais encore.
Tout se meut, l'on dirait, sous une étrange loi.

« Ô mon Dieu ! suis-je fou ? Qu'est-ce que cette
[Aurore ?
J'ai quitté ce matin même mon vieux couvent ;
Quelle évolution de monde que j'ignore ?

« Le bois n'est donc plus là. Mais ces femmes avant
Ne venaient pas puiser au grand puits solitaire.
Suis-je au chemin d'Olmütz ? dites là paysan ? »

Celui qui monologue a la figure austère ;
Des bons frères d'Olmütz il porte le manteau.
Que signifie alors ce nouveau monastère ?

Le jardinier perplexe un coude à son râteau
S'arrête. Ils se sont vus prunelles étonnées.
L'Angélus allemand chantait sur le coteau.

Alfus gravit le seuil fait de pierres fanées
Comprenant qu'un miracle alors s'est opéré
Car il avait dormi cependant cent années.

« Alfus... dit un vieux moine, au nom remémoré,
Alfus... je me souviens, jadis étant novice,
D'avoir ouï causer de ce frère égaré.

« Ce fut un moine doux qui n'avait pour délice
Que la paix, la prière et l'ardeur d'un saint feu.
Une aube il se perdit en bois, pour bénéfice.

« Bien qu'on cherchât partout, qu'on remuât tout lieu,
Jamais put-on trouver son vestige en ces landes,
Et le supposant mort on s'en tenait à Dieu ! »

Alors le Saint levant les bras comme aux offrandes
Mourut, lavé du Doute. Il fut l'Élu choisi,
L'antique moine Alfus des illustres légendes.

Pour nous, selon le gré du ciel, qu'il soit ainsi !

Musiques funèbres

Quand, rêvant de la morte et du boudoir absent,
Je me sens tenaillé des fatigues physiques,
Assis au fauteuil noir, près de mon chat persan,
J'aime à m'inoculer de bizarres musiques,
Sous les lustres dont les étoiles vont versant
Leur sympathie au deuil des rêves léthargiques.

J'ai toujours adoré, plein de silence, à vivre
En des appartements solennellement clos,
Où mon âme sonnant des cloches de sanglots,
Et plongeant dans l'horreur, se donne toute à suivre,
Triste comme un son mort, close comme un vieux livre,
Ces musiques vibrant comme un éveil de flots.

Que m'importent l'amour, la plèbe et ses tocsins ?
Car il me faut, à moi, des annales d'artiste ;
Car je veux, aux accords d'étranges clavecins,
Me noyer dans la paix d'une existence triste
Et voir se dérouler mes ennuis assassins,
Dans le prélude où chante une âme symphoniste.

Je suis de ceux pour qui la vie est une bière
Où n'entrent que les chants hideux des croquemorts,
Où mon fantôme las, comme sous une pierre,
Bien avant dans les nuits cause avec ses remords,
Et vainement appelle, en l'ombre familière
Qui n'a pour l'écouter que l'oreille des morts.

Allons ! que sous vos doigts, en rythme lent et long
Agonisent toujours ces mornes chopinades...
Ah ! que je hais la vie et son noir Carillon !
Engouffrez-vous, douleurs, dans ces calmes aubades,
Ou je me pends ce soir aux portes du salon,
Pour chanter en Enfer les rouges sérénades !

Ah ! funèbre instrument, clavier fou, tu me railles !
Doucement, pianiste, afin qu'on rêve encor !
Plus lentement, plaît-il ?... Dans des chocs de ferrailles,
L'on descend mon cercueil, parmi l'affreux décor
Des ossements épars au champ des funérailles,
Et mon cœur a gémi comme un long cri de cor !...

Soirs hypocondriaques

Parfois je prends mon front blêmi
Sous des impulsions tragiques
Quand le clavecin a frémi,

Et que les lustres léthargiques
Plaquent leurs rayons sur mon deuil
Avec les sons noirs des musiques.

Et les pleurs mal cachés dans l'œil
Je cours affolé, par les chambres,
Trouvant partout que triste accueil.

Et de grands froids glacent mes membres :
Je cherche à me suicider
Par vos soirs affreux, ô Décembres !

Anges maudits, veuillez m'aider !

Se savoir poète

« L'Âme du poète »

« Tristia »

Un poète

Laissez-le vivre ainsi sans lui faire de mal !
Laissez-le s'en aller ; c'est un rêveur qui passe ;
C'est une âme angélique ouverte sur l'espace,
Qui porte en elle un ciel de printemps auroral.

C'est une poésie aussi triste que pure
Qui s'élève de lui dans un tourbillon d'or.
L'étoile la comprend, l'étoile qui s'endort
Dans sa blancheur céleste aux frissons de guipure.

Il ne veut rien savoir ; il aime sans amour.
Ne le regardez pas ! que nul ne s'en occupe !
Dites même qu'il est de son propre sort dupe !
Riez de lui !... Qu'importe ! il faut mourir un jour...

Alors, dans le pays où le bon Dieu demeure,
On vous fera connaître, avec reproche amer,
Ce qu'il fut de candeur sous ce front simple et fier,
Et de tristesse dans ce grand œil gris qui pleure !

Clair de lune intellectuel

Ma pensée est couleur de lumières lointaines,
Du fond de quelque crypte aux vagues profondeurs ;
Elle a l'éclat parfois des subtiles verdeurs
D'un golfe où le soleil abaisse ses antennes.

En un jardin sonore, au soupir des fontaines,
Elle a vécu dans les soirs doux, dans les odeurs ;
Ma pensée est couleur de lumières lointaines,
Du fond de quelque crypte aux vagues profondeurs.

Elle court à jamais les blanches prétentaines,
Au pays angélique où montent ses ardeurs ;
Et, loin de la matière et des brutes laideurs,
Elle rêve l'essor aux célestes Athènes.

Ma pensée est couleur de lunes d'or lointaines.

Mon âme

Mon âme a la candeur d'une chose étoilée,
D'une neige de février...
Ah ! retournons au seuil de l'Enfance en allée,
Viens-t-en prier...

Ma chère, joins tes doigts et pleure et rêve et prie,
Comme tu faisais autrefois
Lorsqu'en ma chambre, aux soirs, vers la Vierge fleurie
Montait ta voix.

Ah ! la fatalité d'être une âme candide
En ce monde menteur, flétri, blasé, pervers,
D'avoir une âme ainsi qu'une neige aux hivers
Que jamais ne souilla la volupté sordide !

D'avoir l'âme pareille à de la mousseline
Que manie une sœur novice de couvent,
Ou comme un luth empli des musiques du vent
Qui chante et qui frémit le soir sur la colline !

D'avoir une âme douce et mystiquement tendre,
Et cependant, toujours, de tous les maux souffrir,
Dans le regret de vivre et l'effroi de mourir,
Et d'espérer, de croire... et de toujours attendre !

Sous les faunes

Nous nous serrions, hagards, en silencieux gestes,
Aux flamboyants juins d'or, pleins de relents, lassés,
Et tels, rêvassions-nous, longuement enlacés,
Par les grands soirs tombés, triomphalement prestes.

Debout au perron gris, clair-obscuré d'agrestes
Arbres évaporant des parfums opiacés,
Et d'où l'on constatait des marbres déplacés,
Gisant en leur orgueil de massives siestes.

Parfois, cloîtrés au fond des vieux kiosques proches,
Nous écoutions clamer des peuples fous de cloches
Dont les voix aux lointains se perdaient, toutes tues,

Et nos cœurs s'emplissaient toujours de vague émoi
Quand, devant l'œil pierreux des funèbres statues,
Nous nous serrions, hagards, ma Douleur morne et moi.

Soirs d'octobre

— Oui, je souffre, ces soirs, démons mornes, chers Saints.
— Ah ! donne-moi ton front, que je calme tes crises.
— Mon âme se fait dune à funèbres hantises.
— On est ainsi toujours au soupçon des Toussaints.

— Que veux-tu ? Je suis tel, je suis tel dans ces villes,
Boulevardier funèbre échappé des balcons,
Et dont le rêve élude, ainsi que des faucons,
L'affluence des sots aux atmosphères viles.

Que veux-tu ? je suis tel… Laisse-moi reposer
Dans la langueur, dans la fatigue et le baiser,
Chère, bien-aimée âme où vont les espoirs sobres…

Écoute ! ô ce grand soir, empourpré de colères,
Qui, galopant, vainqueur des batailles solaires,
Arbore l'Étendard triomphal des Octobres.

Devant le feu

Par les hivers anciens, quand nous portions la robe,
Tout petits, frais, rosés, tapageurs et joufflus,
Avec nos grands albums, hélas ! que l'on n'a plus,
Comme on croyait déjà posséder tout le globe !

Assis en rond, le soir, au coin du feu, par groupes,
Image sur image, ainsi combien joyeux
Nous feuilletions, voyant, la gloire dans les yeux,
Passer de beaux dragons qui chevauchaient en troupes !

Je fus de ces heureux d'alors, mais aujourd'hui,
Les pieds sur les chenets, le front terne d'ennui,
Moi qui me sens toujours l'amertume dans l'âme,

J'aperçois défiler, dans un album de flamme,
Ma jeunesse qui va, comme un soldat passant,
Au champ noir de la vie, arme au poing, toute en sang !

Soir d'hiver

Ah ! comme la neige a neigé !
Ma vitre est un jardin de givre.
Ah ! comme la neige a neigé !
Qu'est-ce que le spasme de vivre
À la douleur que j'ai, que j'ai !

Tous les étangs gisent gelés,
Mon âme est noire : Où vis-je ? où vais-je ?
Tous ses espoirs gisent gelés :
Je suis la nouvelle Norvège
D'où les blonds ciels s'en sont allés.

Pleurez, oiseaux de février,
Au sinistre frisson des choses,
Pleurez, oiseaux de février,
Pleurez mes pleurs, pleurez mes roses,
Aux branches du genévrier.

Ah ! comme la neige a neigé !
Ma vitre est un jardin de givre.
Ah ! comme la neige a neigé !
Qu'est-ce que le spasme de vivre
À tout l'ennui que j'ai, que j'ai !...

La Romance du Vin

Tout se mêle en un vif éclat de gaîté verte.
Ô le beau soir de mai ! Tous les oiseaux en chœur,
Ainsi que les espoirs naguères à mon cœur,
Modulent leur prélude à ma croisée ouverte.

Ô le beau soir de mai ! le joyeux soir de mai !
Un orgue au loin éclate en froides mélopées ;
Et les rayons, ainsi que de pourpres épées,
Percent le cœur du jour qui se meurt parfumé.

Je suis gai ! je suis gai ! Dans le cristal qui chante,
Verse, verse le vin ! verse encore et toujours,
Que je puisse oublier la tristesse des jours,
Dans le dédain que j'ai de la foule méchante !

Je suis gai ! je suis gai ! Vive le vin et l'Art !...
J'ai le rêve de faire aussi des vers célèbres,
Des vers qui gémiront les musiques funèbres
Des vents d'automne au loin passant dans le brouillard.

C'est le règne du rire amer et de la rage
De se savoir poète et l'objet du mépris,
De se savoir un cœur et de n'être compris
Que par le clair de lune et les grands soirs d'orage !

Femmes ! je bois à vous qui riez du chemin
Où l'Idéal m'appelle en ouvrant ses bras roses ;
Je bois à vous surtout, hommes aux fronts moroses
Qui dédaignez ma vie et repoussez ma main !

Pendant que tout l'azur s'étoile dans la gloire,
Et qu'un hymne s'entonne au renouveau doré,
Sur le jour expirant je n'ai donc pas pleuré,
Moi qui marche à tâtons dans ma jeunesse noire !

Je suis gai ! je suis gai ! Vive le soir de mai !
Je suis follement gai, sans être pourtant ivre !...
Serait-ce que je suis enfin heureux de vivre ;
Enfin mon cœur est-il guéri d'avoir aimé ?

Les cloches ont chanté ; le vent du soir odore...
Et pendant que le vin ruisselle à joyeux flots,
Je suis si gai, si gai, dans mon rire sonore,
Oh ! si gai, que j'ai peur d'éclater en sanglots !

La Vierge Noire

Elle a les yeux pareils à d'étranges flambeaux
Et ses cheveux d'or faux sur ses maigres épaules,
Dans des subtils frissons de feuillages de saules,
L'habillent comme font les cyprès des tombeaux.

Elle porte toujours ses robes par lambeaux,
Elle est noire et méchante ; or qu'on la mette aux geôles,
Qu'on la batte à jamais à grands fouets de tôles.
Gare d'elle, mortels, c'est la chair des corbeaux !

Elle m'avait souri d'une bonté profonde,
Je l'aurais crue aimable et, sans souci du monde,
Nous nous serions tenus, Elle et moi par les mains.

Mais, quand je lui parlai, le regard noir d'envie,
Elle me dit : « Tes pas ont souillé mes chemins. »
Certes, tu la connais, on l'appelle la Vie !

Je sens voler en moi les oiseaux du génie

Je sens voler en moi les oiseaux du génie,
Mais j'ai tendu si mal mon piège qu'ils ont pris
Dans l'azur cérébral leurs vols blancs, bruns et gris,
Et que mon cœur brisé râle son agonie.

Je plaque lentement les doigts de mes névroses

Je plaque lentement les doigts de mes névroses,
Chargés des anneaux noirs de mes dégoûts mondains,
Sur le sombre clavier de la vie et des choses.

Je veux m'éluder dans les rires

Je veux m'éluder dans les rires,
Dans des tourbes de gaîté brusque,
Oui, je voudrais me tromper jusque
En des ouragans de délires.

Pitié ! quels monstrueux vampires
Vont suçant mon cœur qui s'offusque !
Ô je veux être fou, ne fût-ce que
Pour narguer mes Détresses pires !

Latent comme un monstre cadavre
Mon cœur vaisseau s'amarre au havre
De toute hétéromorphe engeance.

Que je bénis ces gueux de rosses
Dont les hilarités féroces
Raillent la vierge Intelligence.

BANQUET MACABRE

À la santé du rire ! Et j'élève ma coupe,
Et je bois follement comme un rapin joyeux.
Ô le rire ! Ha ! ha ! ha ! qui met la flamme aux yeux,
Ce vaisseau d'or qui glisse avec l'amour en poupe !

Vogue pour la gaîté de Riquet à la Houppe !
En bons bossus joufflus gouaillons pour le mieux.
Que les bruits du cristal éveillent nos aïeux
Du grand sommeil de pierre où s'entasse leur groupe.

Ils nous viennent, claquant leurs vieux os : les voilà !
Qu'on les assoie en ronde au souper de gala.
À la santé du rire et des pères squelettes !

Versez le vin funèbre aux verres par longs flots,
Et buvons à la Mort dans leurs crânes, poètes,
Pour étouffer en nous la rage des sanglots !

DÉRAISON

Or, j'ai la vision d'ombres sanguinolentes
Et de chevaux fougueux piaffants,
Et c'est comme des cris de gueux, hoquets d'enfants,
Râles d'expirations lentes.

D'où me viennent, dis-moi, tous ces ouragans rauques,
Rages de fifre ou de tambour?
On dirait des dragons en galopade au bourg,
Avec des casques flambant glauques…

Le Fou

Gondolar ! Gondolar !
Tu n'es plus sur le chemin très tard.

On assassina l'pauvre idiot,
On l'écrasa sous un chariot,
Et puis l'chien après l'idiot.

On leur fit un grand, grand trou là.
Dies irae, dies illa.
À genoux devant ce trou-là !

Ténèbres

La Détresse a jeté sur mon cœur ses noirs voiles
Et les croassements de ses corbeaux latents ;
Et je rêve toujours au vaisseau des Vingt ans,
Depuis qu'il a sombré dans la mer des étoiles.

Ah ! quand pourrai-je encor comme des crucifix
Étreindre entre mes doigts les chères paix anciennes,
Dont je n'entends jamais les voix musiciennes
Monter dans tout le trouble où je geins, où je vis ?

Et je voudrais rêver longuement, l'âme entière,
Sous les cyprès de mort, au coin du cimetière
Où gît ma belle enfance au glacial tombeau.

Mais je ne pourrai plus ; je sens des bras funèbres
M'asservir au Réel, dont le fumeux flambeau
Embrase au fond des Nuits mes bizarres Ténèbres !

Le Vaisseau d'Or

C'était un grand Vaisseau taillé dans l'or massif.
Ses mâts touchaient l'azur sur des mers inconnues ;
La Cyprine d'amour, cheveux épars, chairs nues,
S'étalait à sa proue, au soleil excessif.

Mais il vint une nuit frapper le grand écueil
Dans l'Océan trompeur où chantait la Sirène,
Et le naufrage horrible inclina sa carène
Aux profondeurs du Gouffre, immuable cercueil.

Ce fut un Vaisseau d'Or, dont les flancs diaphanes
Révélaient des trésors que les marins profanes,
Dégoût, Haine et Névrose ont entre eux disputés.

Que reste-t-il de lui dans la tempête brève ?
Qu'est devenu mon cœur, navire déserté ?
Hélas ! Il a sombré dans l'abîme du Rêve !

Fragments et ébauches de poèmes

Le soir sème l'Amour

Le soir sème l'Amour, et les Rogations
S'agenouillent avec le Songe.

La Mort de la prière

Il entend lui venir, comme un divin reproche,
Sur un thème qui pleure, angéliquement doux,
Des conseils l'invitant à prier... une cloche !
Mais Arouet est là, qui lui tient les genoux.

Ohé ! ohé ! quel chapelet

Ohé ! ohé ! quel chapelet
Se dit là derrière les portes ?...
Belle laitière aux hanches fortes.

Veux-tu m'astraliser la nuit ?

Veux-tu m'astraliser la nuit ?

Jumeau de l'Idéal, ô brun enfant d'Apelle !

Jumeau de l'Idéal, ô brun enfant d'Apelle !

[Perroquets verts]

Je les eus de Bâton Rouge
Jacassant des mots de bouge:
Bavards, yeux clairs comme l'eau;

Sous lampes leur ombre a coupe:
Gretchen leur tend la soucoupe
Au son de mon piccolo.

[SONNET DE GRETCHEN SUR TROIS PERROQUETS MORTS...]

Tel un trio spectral de pailles immobiles,
Sur la corniche où vibre un effroi de sébiles,
Se juxtaposera leur vieille intimité.

Le passage d'une vie à l'autre vie...

Le passage d'une vie à l'autre vie...
Chant du départ des soutanes...
Violon d'adieusement...
Déraison plus, jamais pas...
Isabella Pathouille...
Sur le tombeau des ionas...
L'idiote...
Frère Ange...

REPÈRES CHRONOLOGIQUES

I. L'enfance : 1879-1885

Naissance d'Émile Nelligan, à Montréal, le 24 décembre 1879, 602, rue Lagauchetière. Il est le premier enfant de David Nelligan, employé des postes, et de Émilie Amanda Hudon. Il aura deux sœurs : Béatrice Éva (née le 28 octobre 1881) et Gertrude Fréda (née le 23 août 1883).

II. Les études : 1886-1897

En août 1886 Émile entre à l'école Olier après avoir fréquenté pendant un an l'académie de l'Archevêché. En septembre 1890, il est externe au Mont-Saint-Louis et, trois ans après, il passe au Collège de Montréal. Il est à l'écart de toute institution scolaire à l'automne et à l'hiver de 1895, n'entrant au Collège Sainte-Marie qu'en mars 1896. Le 8 mars précisément, il rédige un devoir dont la copie sera bien plus tard imprimée : « C'était l'automne... et les feuilles tombaient toujours ». Mauvais élève — il doit reprendre ses éléments latins puis sa syntaxe —, il ne s'intéresse qu'à la poésie. Il quitte définitivement l'école en janvier 1897, au grand mécontentement de ses parents. À partir de 1886, presque chaque année jusqu'en 1898, Nelligan passe ses vacances d'été à Cacouna, station balnéaire près de Rivière-du-Loup.

III. La découverte de la poésie : 1895-1897

Nelligan ne rêve que de poésie, au grand désespoir de son père. Il s'intéresse aux romantiques : Millevoye, Lamartine, Musset... Très tôt il découvre Verlaine, Baudelaire, Rodenbach, Heredia, Leconte de Lisle. Signé du pseudonyme Émile Kovar, son premier poème, « Rêve fantasque », paraît dans *Le Samedi* du 13 juin 1896. Sous le même pseudonyme, il publiera de la même façon huit autres poèmes, en l'espace de trois mois. Cinq sonnets, signés Émil Nellighan, paraîtront en 1897 dans *Le Monde illustré.*

IV. À l'École littéraire de Montréal : 1897-1898

Le 10 février 1897, après avoir soumis au comité d'admission deux poèmes : « Berceuse » et « Le Voyageur », Émile Nelligan est élu membre de l'École littéraire de Montréal, fondée en 1895 par Louvigny de Montigny et Jean Charbonneau. Émile est le cadet du groupe. Le 25 février, il assiste pour la première fois aux délibérations de l'École : il récite « Tristia », « Sonnet d'une villageoise » et « Carl Vondher est mourant ». En mars il lira d'autres poèmes : « Aubade », « Sonnet hivernal », « Harem céleste ». Deux poèmes manuscrits datent de cette époque : « Vasque », dédié à sa « très chère, ultime amie », Édith Larrivée (16 mars [1897]) ; et « Salons allemands », sonnet offert à son ami, Louis-Joseph Béliveau, poète-libraire, à l'occasion de ses noces (septembre 1897).

V. Le rêveur solitaire : 1898-1899

Dépressif, replié sur lui-même, tantôt enfermé dans sa petite chambre à l'étage au 260 de l'avenue Laval, tantôt en promenade au centre de la ville, Nelligan se plaît à fréquenter les marchés Bonsecours et Jacques Cartier, s'arrête à l'occasion dans une église. On connaît peu de femmes dans son entourage (Édith Larrivée, Idola Saint-Jean ou Robertine Barry). Il aurait, dit-on, vécu une idylle champêtre avec une Suissesse allemande à l'automne de 1895, mais on n'en connaît pas grand-chose ; le même mystère entoure une certaine Gretchen à partir de 1897. La femme chez Nelligan, tantôt réelle, tantôt fictive — artiste, apparition, allusion mythique, négresse lointaine —, est bellement ancrée dans l'imaginaire. Et par-dessus tout le monde des rêveries amoureuses réflété dans ses poèmes, le portrait de sa mère et celui de sainte Cécile projettent sa hantise d'aimer.

VI. Le créateur fulgurant : 1898-1899

Le 9 décembre 1898, Nelligan est réadmis à l'École littéraire de Montréal qui prépare une série de séances publiques. La première rencontre avec le public, sous la présidence de Louis Fréchette, a lieu au château de Ramezay, le 29 décembre 1898. Nelligan récite trois de ses poèmes : « Un rêve de Watteau », « Le Récital des Anges » et « L'Idiote aux cloches ». À la deuxième séance qui se tient au Monument national le 24 février 1899, Nelligan déclame « Le Perroquet », « Bohème blanche », « Les Carmélites », « Nocturne séraphique », « Le Roi du souper » et « Notre-Dame-des-Neiges ». À la troisième séance, de nouveau au château de Ramezay, le 7 avril 1899, Nelligan fait connaître à l'assistance « Prière vespérale », « Petit

Vitrail de chapelle», «Amour immaculé», «La Passante». Le 26 mai 1899, Nelligan interprète «Le Talisman», «Rêve d'artiste», «Le Robin des bois», et la poésie atteint son apogée lorsqu'il clame, voix passionnée et œil flambant, sa «Romance du Vin». C'est son heure de gloire... mais aussi son chant du cygne. Déjà le poète délirant s'engage vers la poésie spectrale, sombrement hallucinatoire, influencée par les lectures de Rollinat, de Musset, de Poe. Le long poème «Le Suicide d'Angel Valdor» en offre un exemple. Le printemps et l'été 1899 voient naître *Je veux m'éluder dans les rires*, «Déraison», «Le Tombeau de Charles Baudelaire», «Le Vaisseau d'Or». Le signe avant-coureur du naufrage est là. À la demande de son père, le 9 août 1899, Nelligan est conduit à Longue-Pointe et interné à l'Asile Saint-Benoît-Joseph-Labre. Les docteurs Brennan et Chagnon diagnostiquent: «Dégénér[escence] mentale. Folie poly[morphe]». Nelligan souffre de démence précoce, une forme de schizophrénie incurable.

VII. La révélation d'une œuvre: 1900-1904

Émile Nelligan avait rêvé de créer une «ŒUVRE». En septembre 1897, il songeait déjà à un titre: «Pauvre Enfance». Par la suite, en 1898 et en 1899, il propose d'autres plans, encore incomplets: «Le Récital des Anges», puis «Motifs du Récital des Anges». À l'heure de son internement, seulement 23 de ses poèmes ont été publiés dans des périodiques montréalais. Maintenant, dans les *Soirées du château de Ramezay*, volume collectif de l'École littéraire de Montréal publié en 1900, figurent 17 poèmes de Nelligan. Cette même année, Louis Dantin inclut cinq poèmes dans *Franges d'Autel*, recueil de poésies religieuses déjà partiellement publiées dans *Le Petit Messager du Très Saint-Sacrement*. L'œuvre nelliganienne se manifeste plus considérablement en février 1904, lorsque paraît en recueil chez Beauchemin, *Émile Nelligan et son Œuvre*: 107 poèmes ont été choisis et ordonnés par Dantin, le tout précédé d'une remarquable préface de celui-ci, antérieurement parue dans *Les Débats*, entre le 17 août et le 28 septembre 1902. Cette édition fait connaître Nelligan au Canada, en France et en Belgique; elle méritera trois rééditions: en 1925, 1932 et 1945.

VIII. L'homme brisé: 1899-1941

Nelligan passe plus de 42 ans interné à l'asile: d'abord, et pour un quart de siècle, du 9 août 1899 au 20 octobre 1925, à l'asile Saint-Benoît-Joseph-Labre; ensuite à l'hôpital Saint-Jean-de-Dieu, du 23 octobre 1925 au 18 novembre 1941, jour de sa mort. À Saint-Jean-de-Dieu, le poète est assez fréquemment sollicité du côté de la poésie par les visiteurs, les infirmières, les médecins. Au fil des années, il est ainsi amené à tenter de reconstituer tant bien que mal une trentaine de ses anciens poèmes et à les transcrire dans des carnets de fortune ou sur des feuilles volantes. Cette écriture d'asile est faite d'approximations du passé, fruits d'un esprit affaibli et d'une mémoire défaillante.

IX. Le poète et son mythe: 1941-1992

La mort de Nelligan, le 18 novembre 1941, marque en fait un commencement. Son œuvre inachevée va plus que jamais attirer et fasciner le public. En 1952, Luc Lacourcière en publiera une édition critique (1896-1899), reprise en 1958 et en 1966. Quarante ans plus tard, en 1991,

Jacques Michon, Réjean Robidoux et Paul Wyczynski mettront tout à jour et feront paraître chez Fides, en deux volumes, une édition critique intégrale des *Œuvres complètes* de Nelligan. Entre ces deux dates, auront paru nombre d'éditions de toutes sortes : de luxe, illustrées, anthologiques, scolaires..., sans oublier la traduction anglaise de Fred Cogswell, publiée en 1983. On consacre à Nelligan des thèses de doctorat et de maîtrise. Des colloques savants se tiennent dans les universités. Depuis 1979, à l'initiative de Maurice et Gilles Corbeil, un prix Émile-Nelligan est annuellement décerné à un jeune poète canadien. Le 24 février 1990 a lieu au Grand Théâtre de Québec la première de « Nelligan, un opéra romantique », réalisé par l'Opéra de Montréal ; le livret est de Michel Tremblay, la musique d'André Gagnon, la mise en scène d'André Brassard... Nelligan est devenu un classique, un nom incontournable dans l'histoire de la littérature québécoise.

Bibliographie

I. Œuvre de Nelligan

1. L'édition princeps et ses rééditions

[Émile NELLIGAN], *Émile Nelligan et son Œuvre*, Montréal, [Librairie Beauchemin], 1903, [viii], 164 p. Paru en février 1904 avec la préface « Émile Nelligan » de Louis Dantin ; 2e éd., Montréal, Édouard Garand, 1925, [viii], xxxix, 166 p. ; 3e éd., Montréal, Imprimerie Excelsior, 1932, [viii], xlviii, 166 p., avec « Notes pour la troisième édition » (p. xxxix-xlviii) par le père Thomas-M. Lamarche ; 4e éd., sous le titre de *Poésies*, Montréal, Fides, 1945, 232 p., la préface de Dantin a pour titre « Le Poète », à la fin du volume « Notes et Variantes » (p. 223-228), dans plusieurs sections l'ordre des poèmes est modifié.

2. Éditions critiques

Émile NELLIGAN, *Poésies complètes 1896-1899*, Montréal et Paris, Fides, 1952, 331 p., collection du Nénuphar, texte établi et annoté par Luc Lacourcière ; 2e éd., 1958, 333 p. ; 3e éd., 1966.

Émile NELLIGAN, *Œuvres complètes*, Montréal, Fides, 1991, 2 vol., collection « Le Vaisseau d'Or ».

Vol. I: *Poésies complètes 1896-1941*, 646 p., texte établi et annoté par Réjean Robidoux et Paul Wyczynski; vol. II: *Poèmes et textes d'asile 1900-1941*, 615 p., texte établi et annoté par Jacques Michon.

3. Autographes

Émile NELLIGAN, *31 poèmes autographes*, Trois-Rivières, Écrits des Forges, 1982, 113 p. Deux carnets d'Angélina Grenier (Mme Simon Bournival) commentés et publiés en fac-similé par Gatien Lapointe.

Émile NELLIGAN, *Poèmes autographes*, Fides, 1991, 176 p. Collection «Le Vaisseau d'Or». Présentation, commentaires de Paul Wyczynski. Regroupe en fac-similé soixante feuillets olographes contenant trente-trois textes de Nelligan (1896-1899), comprenant 26 poèmes dont deux en deux versions.

4. Traduction

The Complete Poems of Émile Nelligan, edited et translated by Fred Cogswell, Montréal, Harvest House Ltd, 1983, xxiv, 120 p.

II. Principales études sur Nelligan

BESSETTE, Gérard, *Les Images en poésie canadienne-française*, Montréal, Beauchemin, 1960, 282 p.

——, *Une littérature en ébullition*, Montréal, Éditions du Jour, 1968, 317 p.

[ÉTHIER-BLAIS, Jean, éditeur], *Émile Nelligan: poésie rêvée et poésie vécue*, Montréal, Le Cercle du livre de France, 1969, 192 p. Actes d'un colloque tenu à l'Université McGill du 17 au 19 novembre 1966.

LEMIEUX, Pierre H., *Nelligan amoureux*, Montréal, Fides, 1991, 287 p.

MICHON, Jacques, *Émile Nelligan. Les racines du rêve*, Montréal/Sherbrooke, Les Presses de l'Université de Montréal/Les Presses de l'Université de Sherbrooke, 1983, 178 p.

ROBIDOUX, Réjean, *Connaissance de Nelligan*, Montréal, Fides, 1992, 186 p. Collection « Le Vaisseau d'Or ».

[ROBIDOUX, Réjean et Paul WYCZYNSKI, éditeurs], *Crémazie et Nelligan*, Montréal, Fides, 1981, 188 p. Actes d'un colloque tenu à l'Université d'Ottawa en octobre 1979 pour commémorer le centenaire de la mort de Crémazie et de la naissance de Nelligan.

WYCZYNSKI, Paul, *Émile Nelligan. Sources et originalité de son œuvre*, Ottawa, Éditions de l'Université d'Ottawa, 1960, 343 p. Collection « Visages des lettres canadiennes ».

——, *Bibliographie descriptive et critique d'Émile Nelligan*, Ottawa, Éditions de l'Université d'Ottawa, 1973, 319 p. Avec une préface de David M. Hayne.

——, *Nelligan 1879-1941. Biographie*, Montréal, Fides, 1987, xvi-635 p. Collection « Le Vaisseau d'Or ». 2e éd. en 1990.

Index alphabétique des titres et des incipit

A

À Georges Rodenbach 152
Amour immaculé 125
Angéliques (Les) 93
Antiquaire (L') 153
Aubade rouge 55
À une femme détestée 81
Automne 60

B

Balsamines (Les) 138
Banquet macabre 222
Béatrice 24
Beauté cruelle 83
Belle Morte (La) 163
Bénédictine (La) 123
Berceau de la Muse 41
Bergère 59
Bœuf spectral (Le) 63

C

Camélias roses (Les) 139
Caprice blanc 70

Carmélites (Les) 122
Cercueil (Le) 168
C'était l'automne... et les feuilles tombaient toujours 11
Chanson de l'ouvrière (La) 18
Chapelle dans les bois 130
Chapelle de la Morte 129
Chapelle ruinée 131
Charles Baudelaire 23
Château rural 54
Châteaux en Espagne 79
Chat fatal (Le) 191
Chats (Les) 190
Chef-d'œuvre posthume (Le) 143
Chopin 102
Christ en croix 111
Clair de lune intellectuel 210
Clavier d'antan 31
Cloche dans la brume (La) 134
Cœurs blasés 21
Communiantes (Les) 118
Communion pascale 119
Confession nocturne 197
Corbeaux (Les) 189
Corbillard (Le) 170
Crêpe (Le) 167

D

Dans l'allée 32
Déicides (Les) 112
Déraison 223
Devant deux portraits de ma mère 38
Devant le feu 214

Devant mon berceau 35
Diptyque 115

E

Éventail 141

F

Fantaisie créole 137
Five o'clock 94
Fou (Le) 224
Fra Angelico 149
FRAGMENTS ET ÉBAUCHES DE POÈMES 227
Frère Alfus 198
Frisson d'hiver 77
Fuite de l'Enfance (La) 45

G

Gretchen la pâle 76

H

Hiver sentimental 71
Homme aux cercueils (L') 184

I

Idiote aux cloches (L') 182

J

Jardin d'antan (Le) 46
JARDIN DE L'ENFANCE (LE) 29

Jardin sentimental 51
Je plaque lentement les doigts de mes névroses 220
Je sais là-bas une vierge rose 26
Je sens voler en moi les oiseaux du génie 219
Je veux m'éluder dans les rires 221
Jumeau de l'idéal, ô brun enfant d'Apelle! 233

L

Lac (Le) 179
Le passage d'une vie à l'autre vie... 236
Le soir sème l'Amour 229
Lied fantasque 75

M

Mai d'amour (Le) 72
Maints soirs nous errons dans le val 62
Ma mère 36
Marches funèbres 176
Mazurka 103
Mélodie de Rubinstein 22
Missel de la Morte (Le) 165
Moines (Les) 120
Mon âme 211
Mon sabot de Noël 145
Mort de la prière (La) 230
Mort du moine (La) 121
MOTIFS POÉTIQUES 27
Musiques funèbres 203

N

Nocturne 20

Noël de vieil artiste 144
Notre-Dame-des-Neiges 109
Nuit d'été 17

O

Ohé! Ohé! quel chapelet 231
Organiste du Paradis (L') 127

P

Pan moderne 56
Passante (La) 44
Paysage fauve 180
Perroquet (Le) 171
[Perroquets verts] 234
Petit Coin de cure 132
PETITE CHAPELLE 105
Petit Hameau 53
Petits Oiseaux (Les) 116
Petit Vitrail 124
PIEDS SUR LES CHENETS (LES) 67
Placet pour des cheveux 74
Potiche 157
Pour Ignace Paderewski 101
Prélude triste 161
Premier Remords 37
PREMIERS POÈMES 9
Presque berger 52
Prière du soir 107
Puits hanté (Le) 181

Q

Qu'elle est triste en Octobre avec sa voix pourprée 65
Quelqu'un pleure dans le silence 25

R

Récital des Anges (Le) 126
RÉCITALS ÉTRANGES 89
Refoulons la sente 61
Regret des joujoux (Le) 33
Réponse du crucifix (La) 114
RÊVE D'ART 135
Rêve d'artiste 80
Rêve de Watteau 64
Rêve d'une nuit d'hôpital 128
Rêve fantasque 14
Rêves enclos 88
Robin des bois (Le) 85
Roi du souper (Le) 156
Romance du Vin (La) 216
Rondel à ma pipe 133
Roses d'octobre 84
Ruines 162
Rythmes du soir 86

S

Salon (Le) 104
Salons allemands 92
Saxe de famille (Le) 140
Sculpteur sur marbre 142
Sérénade triste 43
SE SAVOIR POÈTE 207

Silvio Corelli pleure 16
Soir d'hiver 215
Soirs d'automne 87
SOIRS DE NÉVROSE 177
Soirs d'octobre 213
Soirs hypocondriaques 205
[Sonnet de Gretchen sur trois perroquets morts...] 235
Sonnet d'or 100
Sorella dell' amore (La) 34
Soulier de la Morte (Le) 164
Sous les faunes 212
Spectre (Le) 194
Suicide d'Angel Valdor (Le) 185
Sur un portrait de Dante I 150
Sur un portrait de Dante II 151

T

Talisman (Le) 39
Tarentelle d'automne 96
Ténèbres 225
Terrasse aux spectres (La) 196
Thème sentimental 58
Tombeau de Charles Baudelaire (Le) 175
Tombeau de Chopin (Le) 174
Tombeau de la Négresse (Le) 173
Tristesse blanche 42

U

Ultimo Angelo del Correggio (L') 147
Un poète 209

V

Vaisseau d'Or (Le) 226
Vasque 69
Vent, le vent triste de l'Automne ! (Le) 82
VESPÉRALES FUNÈBRES 159
Veux-tu m'astraliser la nuit ? 232
Vieille Armoire 155
Vieille Romanesque 154
Vieilles Rues (Les) 166
Vierge Noire (La) 218
Vieux Piano 91
Violon brisé (Le) 98
Violon d'adieu 99
Violon de villanelle 95
Virgilienne 57
VIRGILIENNES 49
Voyageur (Le) 40

Table des matières

Avant-propos 7

PREMIERS POÈMES

C'était l'automne... et les feuilles tombaient toujours 11
Rêve fantasque 14
Silvio Corelli pleure 16
Nuit d'été 17
La Chanson de l'ouvrière 18
Nocturne 20
Cœurs blasés 21
Mélodie de Rubinstein 22
Charles Baudelaire 23
Béatrice 24
Quelqu'un pleure dans le silence 25
Je sais là-bas une vierge rose 26

MOTIFS POÉTIQUES

I. Le Jardin de l'Enfance 29

Clavier d'antan 31
Dans l'allée 32

Le Regret des joujoux 33
La Sorella dell' amore 34
Devant mon berceau 35
Ma mère 36
Premier Remords 37
Devant deux portraits de ma mère 38
Le Talisman 39
Le Voyageur 40
Le Berceau de la Muse 41
Tristesse blanche 42
Sérénade triste 43
La Passante 44
La Fuite de l'Enfance 45
Le Jardin d'antan 46

II. Virgiliennes 49

Jardin sentimental 51
Presque berger 52
Petit Hameau 53
Château rural 54
Aubade rouge 55
Pan moderne 56
Virgilienne 57
Thème sentimental 58
Bergère 59
Automne 60
Refoulons la sente 61

Maints soirs nous errons dans le val 62
Le Bœuf spectral 63
Rêve de Watteau 64
Qu'elle est triste en Octobre avec sa voix pourprée 65

III. Les Pieds sur les chenets 67

Vasque 69
Caprice blanc 70
Hiver sentimental 71
Le Mai d'amour 72
Placet pour des cheveux 74
Lied fantasque 75
Gretchen la pâle 76
Frisson d'hiver 77
Châteaux en Espagne 79
Rêve d'artiste 80
À une femme détestée 81
Le Vent, le vent triste de l'Automne! 82
Beauté cruelle 83
Roses d'octobre 84
Le Robin des bois 85
Rythmes du soir 86
Soirs d'automne 87
Rêves enclos 88

IV. Récitals étranges 89

Vieux Piano 91

Salons allemands 92
Les Angéliques 93
Five o'clock 94
Violon de villanelle 95
Tarentelle d'automne 96
Le Violon brisé 98
Violon d'adieu 99
Sonnet d'or 100
Pour Ignace Paderewski 101
Chopin 102
Mazurka 103
Le Salon 104

V. Petite Chapelle 105

Prière du soir 107
Notre-Dame-des-Neiges 109
Christ en croix 111
Les Déicides 112
La Réponse du crucifix 114
Diptyque 115
Les Petits Oiseaux 116
Les communiantes 118
Communion pascale 119
Les Moines 120
La Mort du moine 121
Les Carmélites 122
La Bénédictine 123

Petit Vitrail 124
Amour immaculé 125
Le Récital des Anges 126
L'Organiste du Paradis 127
Rêve d'une nuit d'hôpital 128
Chapelle de la Morte 129
Chapelle dans les bois 130
Chapelle ruinée 131
Petit Coin de cure 132
Rondel à ma pipe 133
La Cloche dans la brume 134

VI. Rêve d'Art 135

Fantaisie créole 137
Les Balsamines 138
Les Camélias roses 139
Le Saxe de famille 140
Éventail 141
Sculpteur sur marbre 142
Le Chef-d'œuvre posthume 143
Noël de vieil artiste 144
Mon sabot de Noël 145
L'Ultimo Angelo del Corregio 147
Fra Angelico 149
Sur un portrait de Dante I 150
Sur un portrait de Dante II 151
À Georges Rodenbach 152

L'Antiquaire 153
Vieille Romanesque 154
Vieille Armoire 155
Le Roi du souper 156
Potiche 157

VII. Vespérales funèbres 159

Prélude triste 161
Ruines 162
La Belle Morte 163
Le Soulier de la Morte 164
Le Missel de la Morte 165
Les Vieilles Rues 166
Le Crêpe 167
Le Cercueil 168
Le Corbillard 170
Le Perroquet 171
Le Tombeau de la Négresse 173
Le Tombeau de Chopin 174
Le Tombeau de Charles Baudelaire 175
Marches funèbres 176

VIII. Soirs de Névrose 177

Le Lac 179
Paysage fauve 180
Le Puits hanté 181
L'Idiote aux cloches 182

L'Homme aux cercueils 184
Le Suicide d'Angel Valdor 185
Les Corbeaux 189
Les Chats 190
Le Chat fatal 191
Le Spectre 194
La Terrasse aux spectres 196
Confession nocturne 197
Frère Alfus 198
Musiques funèbres 203
Soirs hypocondriaques 205

IX. Se savoir poète 207

Un poète 209
Clair de lune intellectuel 210
Mon âme 211
Sous les faunes 212
Soirs d'octobre 213
Devant le feu 214
Soir d'hiver 215
La Romance du Vin 216
La Vierge Noire 218
Je sens voler en moi les oiseaux du génie 219
Je plaque lentement les doigts de mes névroses ... 220
Je veux m'éluder dans les rires 221
Banquet macabre 222
Déraison 223

Le Fou 224
Ténèbres 225
Le Vaisseau d'Or 226

X. Fragments et ébauches de poèmes 227

Le soir sème l'Amour 229
La Mort de la prière 230
Ohé! ohé! quel chapelet 231
Veux-tu m'astraliser la nuit? 232
Jumeau de l'Idéal, ô brun enfant d'Apelle! 233
[Perroquets verts] 234
[Sonnet de Gretchen sur trois
perroquets morts...] 235
Le passage d'une vie à l'autre vie… 236

Repères chronologiques 237
Bibliographie 243
Index alphabétique des titres et des incipit 247

Parus dans la Bibliothèque québécoise

Jean-Pierre April
CHOCS BAROQUES

Hubert Aquin
JOURNAL 1948-1971

L'ANTIPHONAIRE

TROU DE MÉMOIRE

Bernard Assiniwi
FAITES VOTRE VIN VOUS-MÊME

Philippe Aubert de Gaspé
LES ANCIENS CANADIENS

Noël Audet
QUAND LA VOILE FASEILLE

Honoré Beaugrand
LA CHASSE-GALERIE

Marie-Claire Blais
L'EXILÉ suivi de
LES VOYAGEURS SACRÉS

Jacques Brossard
LE MÉTAMORFAUX

Nicole Brossard
À TOUT REGARD

André Carpentier
L'AIGLE VOLERA À TRAVERS LE SOLEIL

RUE SAINT-DENIS

Denys Chabot
L'ELDORADO DANS LES GLACES

Robert Charbonneau
LA FRANCE ET NOUS

Robert Choquette
LE SORCIER D'ANTICOSTI

Laure Conan
ANGÉLINE DE MONTBRUN

Jacques Cotnam
POÈTES DU QUÉBEC

Maurice Cusson
DÉLINQUANTS POURQUOI?

Léo-Paul Desrosiers
LES ENGAGÉS DU GRAND PORTAGE

Pierre DesRuisseaux
DICTIONNAIRE DES EXPRESSIONS QUÉBÉCOISES

Georges Dor
POÈMES ET CHANSONS D'AMOUR ET D'AUTRE CHOSE

Jacques Ferron
LA CHARRETTE

CONTES

Madeleine Ferron
CŒUR DE SUCRE

LE CHEMIN DES DAMES

Guy Frégault
LA CIVILISATION DE LA NOUVELLE-FRANCE 1713-1744

Hector de Saint-Denys Garneau
REGARDS ET JEUX DANS L'ESPACE

Jacques Garneau
LA MORNIFLE

Antoine Gérin-Lajoie
JEAN RIVARD, LE DÉFRICHEUR
suivi de JEAN RIVARD, ÉCONOMISTE

Rodolphe Girard
MARIE CALUMET

André Giroux
AU-DELÀ DES VISAGES

Jean-Cléo Godin et Laurent Mailhot
THÉÂTRE QUÉBÉCOIS (2 tomes)

François Gravel
LA NOTE DE PASSAGE

Alain Grandbois
AVANT LE CHAOS

Lionel Groulx
NOTRE GRANDE AVENTURE

Germaine Guèvremont
LE SURVENANT

MARIE-DIDACE

Pauline Harvey
LA VILLE AUX GUEUX

Anne Hébert
LE TORRENT

LE TEMPS SAUVAGE suivi de
LA MERCIÈRE ASSASSINÉE et de
LES INVITÉS AU PROCÈS

Louis Hémon
MARIA CHAPDELAINE

Suzanne Jacob
LA SURVIE

Claude Jasmin
LA SABLIÈRE - MARIO
UNE DUCHESSE À OGUNQUIT

Patrice Lacombe
LA TERRE PATERNELLE

Félix Leclerc
ADAGIO
ALLEGRO
ANDANTE
LE CALEPIN D'UN FLÂNEUR
CENT CHANSONS
DIALOGUES D'HOMMES ET DE BÊTES
LE FOU DE L'ÎLE
LE HAMAC DANS LES VOILES
MOI, MES SOULIERS
PIEDS NUS DANS L'AUBE
LE P'TIT BONHEUR
SONNEZ LES MATINES

Michel Lord
ANTHOLOGIE DE LA SCIENCE-FICTION QUÉBÉCOISE CONTEMPORAINE

Hugh McLennan
DEUX SOLITUDES

Marshall McLuhan
POUR COMPRENDRE LES MÉDIAS

Antonine Maillet
PÉLAGIE-LA-CHARRETTE
LA SAGOUINE
LES CORDES-DE-BOIS

André Major
L'HIVER AU CŒUR

Guylaine Massoutre
ITINÉRAIRES D'HUBERT AQUIN

Émile Nelligan
POÉSIES COMPLÈTES
Nouvelle édition refondue et révisée

Francine Noël
MARYSE

Jacques Poulin
LES GRANDES MARÉES
FAITES DE BEAUX RÊVES

Marie Provost
DES PLANTES QUI GUÉRISSENT

Jean Royer
INTRODUCTION À LA POÉSIE QUÉBÉCOISE

Gabriel Sagard
LE GRAND VOYAGE DU PAYS DES HURONS

Fernande Saint-Martin
LES FONDEMENTS TOPOLOGIQUES DE LA PEINTURE
STRUCTURES DE L'ESPACE PICTURAL

Félix-Antoine Savard
MENAUD, MAÎTRE DRAVEUR

Jacques T.
DE L'ALCOOLISME À LA PAIX ET À LA SÉRÉNITÉ

Jules-Paul Tardivel
POUR LA PATRIE

Yves Thériault
L'APPELANTE

ASHINI

CONTES POUR UN HOMME SEUL

KESTEN

MOI, PIERRE HUNEAU

Michel Tremblay
LE CŒUR DÉCOUVERT

DES NOUVELLES D'ÉDOUARD

LA DUCHESSE ET LE ROTURIER

LA GROSSE FEMME D'À CÔTÉ EST ENCEINTE

LE PREMIER QUARTIER DE LA LUNE

THÉRÈSE ET PIERRETTE À L'ÉCOLE DES SAINTS-ANGES

Pierre Turgeon
FAIRE SA MORT COMME FAIRE L'AMOUR

LA PREMIÈRE PERSONNE

UN, DEUX, TROIS

Pierre Vadeboncoeur
LA LIGNE DU RISQUE

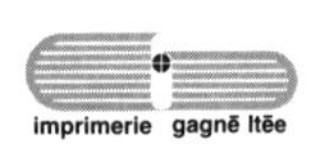
imprimerie gagné ltée

IMPRIMÉ AU CANADA